T3-BOF-092

Gedenken an Rudolf Bultmann

Gedenken an Rudolf Bultmann

mit Beiträgen von
Rudolf Zingel, Erich Vellmer, Karl Rahner
Erich Dinkler und Hans Jonas
herausgegeben von
Otto Kaiser

1977

J. C. B. MOHR (PAUL SIEBECK) TÜBINGEN

CIP-Kurztitelaufnahme der Deutschen Bibliothek

Gedenken an Rudolf Bultmann / mit Beitr. von
Rudolf Zingel ... – 1. Aufl. – Tübingen:
Mohr 1977.
ISBN 3-16-139531-X

NE: Zingel, Rudolf [Mitarb.]

Die Aufnahme stellte Antje Bultmann Lemke freundlich
zur Verfügung

Printed in Germany
Satz und Druck: Gulde-Druck, Tübingen
Einband: Großbuchbinderei Heinr. Koch, Tübingen

Inhalt

Otto Kaiser, Zum Geleit VII

Rudolf Zingel, Gedenkwort für die Philipps-Universität Marburg 1

Erich Vellmer, Gedenkwort für die Evangelische Kirche von Kurhessen und Waldeck und die Evangelische Kirche in Hessen und Nassau 7

Karl Rahner, Gedenkwort für den Orden Pour le Mérite . . . 13

Erich Dinkler, Die christliche Wahrheitsfrage und die Unabgeschlossenheit der Theologie als Wissenschaft 15

Hans Jonas, Im Kampf um die Möglichkeit des Glaubens . . . 41

Zum Geleit

Am 16. November 1976 gedachte der Fachbereich Evangelische Theologie der Philipps-Universität Marburg seines am 30. Juli gleichen Jahres verstorbenen überragenden neutestamentlichen Lehrers und Forschers. Die in dieser Feier gehaltenen Gedenkworte und Würdigungen werden hier vorgelegt, um dem Dank an Rudolf Bultmann über die Stunde hinaus Ausdruck zu geben.

Otto Kaiser

Gedenkwort für die Philipps-Universität Marburg

Rudolf Zingel

Diese Universität ist eine Frucht der Reformation, einer Bewegung, die grundlegende Neuorientierung brachte und die zugleich und deswegen eine Zeitepoche vielfältiger Irrungen und Wirrungen gewesen ist. Es wird gesagt, daß sie vor allem gegründet worden sei, um Geistliche des neuen Bekenntnisses heranzubilden. Das ist richtig, aber es ist doch nur die eine Seite des Auftrages, der der Philipps-Universität von ihrem Gründer auf den Weg gegeben worden ist. In der ersten Grundordnung der Philipps-Universität, dem landesherrlichen Freiheitsbrief des Jahres 1529, heißt es, daß die Universität – die gesamte Universität, und nicht nur deren Theologische Fakultät – wider allerlei Irrtum, Ketzerei und Mißbrauch Schranken setzen solle. Die Universität erhält damit ausdrücklich den Auftrag, mit der strengen Methodik wissenschaftlichen Denkens Korrektiv zu sein gegen den Irrtum, dem das von Interessen, von Voreingenommenheit, von Sehnsüchten beeinflußte unkontrollierte Denken und Spekulieren nur allzu leicht verfällt.

Freilich geht es in der Wissenschaft nicht nur um den Irrtum im Sinne des richtig oder falsch. Nicht selten liegt der Sachverhalt vor, daß mit den Vorstellungen, die bisher galten, die Welt und die sonstigen Gegenstände, mit denen es der Mensch zu tun hat, nicht mehr zureichend erfaßt werden können. Da ist es nun Sache der Wissenschaft, Spuren zu suchen, neue Wege aufzuspüren.

Dieser Aufgabe hat Rudolf Bultmann gelebt. Er bezweifelt, daß die bisherigen Interpretationen des Neuen Testaments Christentum noch lebendig erhalten können, und er fragt, wie Gott und Gottes Wort sich in einer Zeit erfassen lassen, in der

der Mensch nicht mehr im Sinne manchen frommen Kirchenliedes blind glauben will und es wohl auch gar nicht mehr kann. So bewegt sich sein Denken um das Glauben und das Verstehen, um die Beziehungen und um die Abgrenzung zwischen beidem. Sein Wirken läuft nicht geradlinig auf den großen Wurf zu. Seine Schriften zur Geschichte und zur Exegese der Evangelien hatten ihm verhältnismäßig frühzeitig hohes Ansehen unter den Theologen und ehrenvolle akademische Auszeichnungen in- und ausländischer Universitäten und Akademien eingetragen, aber erst nach dem 2. Weltkrieg wurde weiten Kreisen bewußt, daß hier ein in seiner Grundhaltung einheitliches Gesamtwerk vorlag, das neue Zugänge zu den biblischen Schriften eröffnete, indem es auf sie die existenziale Interpretation anwandte, die landläufig als die Entmythologisierung bezeichnet wird.

Diese Leitidee der Entmythologisierung hat sowohl Zustimmung als auch Ablehnung erfahren. In dem Maße, in dem die Zustimmung wuchs, verstärkte sich auch die Kritik zu heftiger, mitunter aggressiver Gegnerschaft, und dieser oder jener von Bultmanns Gegnern würde ihn wohl, um die Gefährlichkeit seiner Ideen zu kennzeichnen, einen Systemveränderer der Theologie genannt haben, wenn dieser terminus damals schon gebräuchlich gewesen wäre. Solche Anfeindungen berührten ihn kaum, durfte er doch erleben, wie sein Gedankengebäude sich in aller Welt verbreitete. Freilich hatte dieses Erleben-Dürfen seinen Preis: daß er nämlich in seinen späten Jahren zusehen mußte, wie man sich hier und da mit Auffassungen auf ihn berief, in denen er sich mißverstanden sah. So umgab ein Anflug von Tragik den alten Gelehrten, von dessen Lebenswerk die Welt so sehr Besitz ergriffen hatte, daß es ihm schon zu seinen Lebzeiten nicht mehr gehörte.

Bultmann ist seinen Weg in unserer Universität gegangen. Er ist mit 21 Jahren zu seinem Theologie-Studium an die alma mater philippina gekommen und hat ihr — mit Ausnahme einer vierjährigen Exkursion auf Lehrstühle in Breslau und Gießen – bis an sein Lebensende, insgesamt 67 Jahre, angehört. Er hat viele Generationen von Theologen im Geiste der strengen Wissenschaftlichkeit unterwiesen. Er, der in der Anwendung voraussetzungsloser wissenschaftlicher Methoden bei der Auslegung des Neuen Testaments so weit ging wie kaum ein anderer, konnte sich dem Glauben nicht entfremden, denn er wußte, wozu er Theologie trieb und welchen Sinn es hat, von Gott zu reden. Auf einen Erlaß des Reichskultusministers aus dem Jahre 1935, durch den den Marburger Theologie-Professoren verboten wurde, sich für die Bekennende Kirche einzusetzen, erhob er in einem Brief an den Minister entscheidende Einwendungen. Er schrieb darin: „... Ich darf von mir sagen, daß ich stets gegen eine Wissenschaft gekämpft habe, die sich vom Leben abschließt und sich nur als gelehrter Betrieb innerhalb der vier Wände der Studierstube und des Hörsaals abspielt, und daß ich stets für eine Wissenschaft eingetreten bin, die aus dem Leben entspringt und für das Leben eintritt. Die *Wahrheit*, um die die theologische Wissenschaft ringt, ist nicht die unverbindliche theoretische Wahrheit einer intellektuellen Beschäftigung ..."

Mit der gleichen Entschiedenheit und Unerschrockenheit war er in jenen Jahren zusammen mit seinem unvergessenen Kollegen Hans Freiherr von Soden die Triebkraft der Verteidigung gegen alle Versuche, durch staatliche Eingriffe die Marburger Theologische Fakultät kirchenpolitisch gleichzuschalten. Und als jene Jahre vorüber waren, gehörte er 1945 zu denjenigen, die im Planungsausschuß der Philipps-Universität sich um eine neue geistige Grundlegung für diese Universität bemühten. Gleichzeitig half er durch Vortragsreisen ins Ausland, daß sich die Tore der Universitäten unserer Nachbarländer wieder für uns öffneten.

So wie Bultmann unserer Universität gegeben hat, so hat er auch von ihr empfangen. Seine Gesprächspartner waren nicht nur seine Kollegen und Schüler in der Theologischen Fakultät. Als herausragendes Beispiel für den an Fakultätsgrenzen nicht gebundenen Gedankenaustausch, den er pflegte, mag die enge Berührung mit Martin Heidegger in dessen Marburger Zeit stehen, und wir wissen, daß wesentliche Elemente von Bultmanns Gedankengängen auf Heidegger zurückgehen, dessen Vorlesungen er hörte und mitschrieb.

So läßt sich am Entstehen von Bultmanns Werk aufzeigen, was Universität sein kann und sein sollte: Nicht lediglich eine Addition, sondern eine Symbiose der verschiedenen wissenschaftlichen Disziplinen. Wir fühlten, daß wir Universität in diesem Sinne waren, als wir 1963 im überfüllten großen Saal des Studentenhauses seinem letzten großen Vortrag zuhörten, den er in dieser Hochschule gehalten hat und der unter dem Thema stand: „Der christliche Gottesglaube und der moderne Mensch.“

Auch heute gilt, daß nicht nur und vielleicht gar nicht einmal so sehr Studentenberge und Finanztäler die Universität gefährden; die Universität ist vor allem dann in ihrer Existenz bedroht, wenn sie sich zu einer bloßen räumlichen Ansammlung immer stärker spezialisierter Fachgebiete entwickelt, zwischen denen trotz aller organisatorischen Vorkehrungen der lebendige Ideenaustausch verkümmert. Hätten wir in Marburg nicht besonderen Anlaß, zur Kenntnis zu nehmen, daß Bultmann nicht lediglich den Theologen angeht? Denn jede Wissenschaft hat sich mit der Tatsache auseinanderzusetzen, daß sie für den Bereich der letzten grundlegenden Wertvorstellungen nicht zuständig sein kann, und sie hat jeweils für sich das Feld abzustecken, das dem kritischen Intellekt zugänglich ist.

Rudolf Bultmann war der Philipps-Universität schon lange entwachsen. Sie kann ihn nicht für sich in Anspruch nehmen, aber sie kann sich mit Stolz daran erinnern, daß er ihr zugehört hat als ein bedeutender Gelehrter, in dessen Werk spürbar die Substanz seiner großen Persönlichkeit eingegangen ist. Sein Leben führt uns vor Augen, was Universität bewirken kann: daß auch heute noch ein einziger Gelehrter weltweite geistige Strömungen auszulösen vermag. Sein Leben lehrt uns auch, daß die Universität die Überwindung des Irrtums oder die Erweiterung geistiger Horizonte nicht durch Resolutionen, durch Agitation oder durch Massenaktionen, sondern allein durch gewissenhafte und überzeugende wissenschaftliche Leistung herbeiführen kann. Wir tun nicht nur Rudolf Bultmann Ehre an, sondern es wird zu unserem eigenen Besten sein, wenn wir ihn noch lange in unserem Gedächtnis bewahren.

Namens der Philipps-Universität danke ich dem verstorbenen emeritierten ordentlichen Professor der Neutestamentlichen Theologie D. Rudolf Bultmann für alles das, was er sein Leben lang in unserer Universität und für unsere Universität geleistet hat.

Gedenkwort für die Evangelische Kirche von Kurhessen und Waldeck und die Evangelische Kirche in Hessen und Nassau

Erich Vellmer

Ich bin gebeten worden, im Namen der beiden evangelischen Kirchen im Lande Hessen das Wort zu nehmen. Ich tue es gern. Rudolf Bultmann war mein Lehrer; dasselbe gilt auch für Kirchenpräsident Hild. In den zurückliegenden Jahren habe ich Rat und Hilfe bei Rudolf Bultmann gefunden, wenn ich mit meinen Problemen und Sorgen zu ihm kam.

Nachrufe auf den Verstorbenen haben bekundet, daß er ein Lehrer der Kirche Jesu Christi gewesen ist, der seine theologische Arbeit als eine ihm von der Kirche aufgetragene Arbeit verstanden hat.

Das hatte für Rudolf Bultmann nicht nur persönliche, sondern auch theologische Gründe. Für mich, der ich im kirchenleitenden Amt stehe, ist es reizvoll festzustellen, daß Rudolf Bultmann seine Bindung an die Kirche in seiner Denkschrift vom 18. 1. 1931 deutlich dokumentiert hat, obwohl er sich in diesem Schriftstück leidenschaftlich wehrt gegen die *kirchenregimentliche* Begutachtung von theologischen Lehrstühlen[1]. Gewiß – so argumentierte Bultmann damals – darf die Lehre, in der die künftigen Prediger durch die theologischen Fakultäten unterrichtet werden, keine beliebige sein; ferner gilt, daß die Theologie eine *Funktion der Kirche* ist. Und es ist die Aufgabe der Kirche, zwischen rechter Lehre und Irrlehre zu unterscheiden. Aber was rechte Lehre ist, wird nicht durch eine Kontrollinstanz festgestellt.

---

[1] K. Barth-R. Bultmann. Briefwechsel 1922–1966, hg. B. Jaspert, K. Barth. Gesamtausgabe V, 1, Zürich 1971, S. 242 ff.

Der Gegenstand der kirchlichen Lehre und der Theologie ist *Gottes Offenbarung in der Geschichte*. Kirche *und* Theologie leben aufgrund des schon bestehenden Verhältnisses zu ihrem Gegenstand, aufgrund des Glaubens.

So ist die Theologie auf das kirchliche Leben angewiesen; kirchliches Leben soll kritisch und befruchtend auf die Theologie wirken.

Aber auch umgekehrt soll die Theologie als Glied und Organ des kirchlichen Lebens auf dieses selbst klärend und kritisch Einfluß haben. In diesem Zusammenhang liest man den bedenkenswerten Satz: „Die Theologie hat das Lehramt in der Kirche inne, und sie ist deshalb ihrerseits die Kontrollinstanz für das Kirchenregiment" (247).

Das konnte Rudolf Bultmann von seiner Theologie sagen; sie kannte ihren eigentlichen Grund und stand im ständigen Gespräch mit der Gegenwart.

Bultmann ist von der Voraussetzung ausgegangen, daß Theologie und Christologie aufeinander bezogen sind und die eine nicht durch die andere ersetzt werden darf; denn Gott hat in Jesus Christus inmitten unserer Geschichte gehandelt, und von Jesus Christus kann nur sinngemäß geredet werden, wenn zugleich von Gott geredet wird.

Kirche existiert heute inmitten einer modernen achristlichen Welt. Für diese ist eigentümlich, daß ihr entweder das Christentum als veraltet erscheint, oder daß sie auf die Fragen, auf die der christliche Glaube Antwort geben wollte, sich die Antwort selbst gibt. Die Kirche würde sich selbst aufgeben, wenn sie sich mit einer von jenseitigen Bindungen gelösten Welt identifiziert. Aber sie hat es mit dieser Welt zu tun; denn sie ist mit ihrer Botschaft in die Welt gesandt.

Das bedeutet, daß sich ihr in dieser säkularisierten Wirklichkeit die Frage nach dem Verständnis von Transzendenz neu stellt. Ist die Transzendenz nur zu erreichen durch Abkehr von der Welt und Hinwendung zu einem unfaßbaren Jenseits? Oder begegnet Transzendenz dem Menschen in seiner Existenz, indem sie ihm hilft, sich zu verstehen vor dem Gegenüber Gottes, getragen von der Macht seiner Liebe?

Für Bultmann gilt, daß Gott in der Geschichte handelt: in dem Heilsereignis, das Jesus Christus heißt. Aber dieses Ereignis ist kein bloßes Geschehen der Vergangenheit; es vergegenwärtigt sich als Anrede und Frage in dem Kerygma, das dieses Ereignis verkündigt. Das im Wort den Hörer treffende Widerfahrnis der erneuernden Liebe Gottes befreit zu der Offenheit, uns nicht „an unserem alten Selbst festzuhalten, sondern unser eigentliches Selbst immer neu zu empfangen", indem wir uns dem Ruf der Stunde stellen. In seinem Handeln begegnet Gott als die Macht der erneuernden und bergenden Liebe.

Freilich hat Bultmann im Zusammenhang mit 1. Joh 4,8 – „Gott ist Liebe" – sogleich hinzugefügt, daß dieser Satz nicht umkehrbar sei, weil sonst die Liebe zu einer allgemeinen menschlichen Möglichkeit und Gott zu einer mitmenschlichen Beziehung würde.

Diese infolge der gebotenen Kürze nur angedeuteten Gedanken lassen deutlich werden, daß Bultmanns theologische Arbeit – die auch heute für die Kirche Bedeutung hat – zwei Schwerpunkte setzt:

Es ging ihm um die gründliche Beschäftigung mit dem neutestamentlichen Text. Er hat uns, seine Schüler, das Neue Testament lesen und befragen gelehrt und uns geholfen, es lieben zu lernen. Er hat uns unerbittlich vor die Aufgabe gestellt, die Begriffe zu klären, und uns den Blick dafür geöffnet, daß unterschieden werden muß zwischen dem Aussageinhalt und der zeitgebundenen Aussageweise.

Bultmann hat damit die Kirche unüberhörbar gewarnt vor dem unkontrollierten Nachsprechen von Begriffen und Vorstellungen, die der Vergangenheit angehören. Er hat wieder in Erinnerung gerufen, was den Reformatoren neu aufgegangen und sehr schnell wieder vergessen war, daß im Gegensatz zu allem objektivierenden Reden von Gott sinnvoll von Gott nur geredet werden kann, wenn zugleich vom Menschen in seinem Betroffensein von Gottes Handeln geredet wird.

Darum – und das ist das andere Anliegen Rudolf Bultmanns – geht die Botschaft des Evangeliums den konkreten Menschen an. Um ihn zu erreichen, muß das Kerygma von seinem zeitgeschichtlich bedingten Weltbild befreit werden. Die „Marburger Predigten" zeugen von diesem Bemühen, und sie zeigen zugleich, daß Bultmann die theologische Wissenschaft und die Predigt in der Gemeinde in enger Beziehung zueinander gesehen hat.

Ich darf hier ein persönliches Wort sagen: Bultmanns theologische Arbeit bedeutete für uns eine Ermutigung, das Predigtamt in der Kirche zu übernehmen, als wir in den kirchlichen Dienst eintraten in der Zeit des Kirchenkampfes. Rudolf Bultmann war – neben Hans v. Soden – in der Bekennenden Kirche an unserer Seite und hat uns mit seinem klärenden Wort geholfen. Nach 1945 fanden die Studenten, die nach dem Erlebnis des Krieges sich zum Theologiestudium entschlossen, in Rudolf Bultmann nicht nur einen Lehrer, der auf die sie bedrängenden Fragen einzugehen verstand, sondern auch einen väterlichen Berater.

Rudolf Bultmann hat sich zur Mitverantwortung in der Kirche gerufen gewußt. Er hat das Gespräch gesucht mit den Pfarrern und Religionslehrern. Er ist selbst Mitglied in einem Marburger Kirchenvorstand gewesen.

Dankbar denke ich zurück an gemeinsame Gespräche in den vergangenen Jahren, in deren Mittelpunkt häufig die Frage nach der heutigen Situation der Kirche und des theologischen Nachwuchses stand.

Als wir einmal von der Verantwortung der Theologie sprachen, sagte er: „Es ist die Aufgabe der Theologie, die Immanenz zur Transzendenz in Beziehung zu bringen, aber ohne die Transzendenz in der Immanenz aufgehen zu lassen."

Mit seiner theologischen Arbeit hat Bultmann deutlich hervorgehoben, daß die Verwirklichung der menschlichen Existenz nicht innerhalb unserer Möglichkeiten liegt, sondern Gottes Gabe ist.

Damit hat er der Kirche einen entscheidenden Dienst getan. Er wußte, daß es darauf ankommt, die Aussagen des christlichen Glaubens einsichtig zu machen, weil Glauben und Verstehen in der neutestamentlichen Botschaft zusammengehören (Joh 6,69 und 17,3).

Die Kirche wird gut beraten sein, wenn sie die Arbeit Rudolf Bultmanns in den Anfechtungen dieser Zeit dankbar beachtet.

Gedenkwort für den Orden Pour Le Mérite

Karl Rahner

Es ist mir der ehrenvolle Auftrag zuteil geworden, für den Orden Pour le Mérite für Wissenschaften und Künste ein Wort des ehrfürchtigen Gedenkens an Rudolf Bultmann zu sprechen. Rudolf Bultmann gehörte diesem Orden als Nachfolger Romano Guardinis seit dem 4. Juli 1969 durch die Wahl dieses Ordens selbst an. Da seit seinen Gründungszeiten unter Friedrich Wilhelm IV. von Preußen im letzten Jahrhundert bis zur Wiederbelebung des Ordens durch Bundespräsident Theodor Heuss überhaupt keine Theologen diesem Orden angehören sollten und angehörten (Adolf Harnack ist nur scheinbar eine Ausnahme), ist Rudolf Bultmann einer der ganz wenigen Theologen, die der Orden zu den Seinen wählte. Aber es ist selbstverständlich und eigentlich auch das einzige, was ich in dieser Stunde zu sagen habe: Rudolf Bultmann ehrt als Mitglied diesen Orden viel mehr, als der Orden diesen großen Theologen durch seine Zuwahl ehrte und in seiner Bedeutung für die Theologie und die Geistesgeschichte dieses Jahrhunderts anerkannte. Vom Sinn des Ordens her ist es selbstverständlich (noch viel mehr als bei Gerhard von Rad), daß der Orden Bultmann in den Kreis seiner Mitglieder berief. Denn wenn man nur die ersten Namen nennen will, die in der Geschichte der christlichen Theologie in diesem Jahrhundert auf jeden Fall zu nennen sind, dann ist sicher Rudolf Bultmann unter ihnen. Das gilt noch mehr, wenn deutsche Namen aus dem Kreis dieser Theologen genannt werden müssen, zumal nichtdeutsche Theologen noch nie zu den auswärtigen Mitgliedern dieses Ordens gezählt haben, da der Kanonist Stephan Kuttner und der Religionswissenschaftler Jean Festugière, die ausländische Mitglieder sind, doch eher zu den Historikern zu zählen sind.

In seinem Brief vom 21. 7. 1970 gab Rudolf Bultmann seine volle Zustimmung zu einem Satz, der in diesem Orden gelegentlich so formuliert wurde: „Auch der Theologe hat in diesem Orden seinen Platz und seine Aufgabe, und wäre es auch nur die, vor einer falschen, verabsolutierenden Vergötzung irgendeiner einzelnen Wissenschaft und einzelnen Kunst zu warnen und so immer wieder – natürlich mit vielen anderen zusammen und in Selbstkritik sich selbst gegenüber – jene freie Offenheit zu erkämpfen, in der allein der Mensch, seine Wissenschaft und seine Künste leben können."

In dieser Gedenkfeier für den großen Theologen, der, wenn auch mit anderen zusammen, an jener Grenze steht, an der die christliche Botschaft nach einer fast zweitausendjährigen Geschichte neu in eine erst geahnte Epoche zieht, habe ich gewiß nicht die Aufgabe, das Lebenswerk, den Standpunkt und die Bedeutung dieses Theologen in der Geschichte der christlichen Botschaft und der christlichen Theologie zu würdigen. Das geschieht – und auch hier und heute – durch Berufenere. Aber wenn Rudolf Bultmann einmal gesagt hat, der letzte Sinn der historischen Kritik, die er in seiner – bleibenden – Theologie nicht missen wollte, sei der, „radikal zur Freiheit und Wahrhaftigkeit zu erziehen", dann darf dieser Orden, wenn auch in aller Bescheidenheit, sagen, daß auch er diesem Ziel sich verpflichtet weiß. Und so darf in dieser Stunde auch der Orden, zu dem Rudolf Bultmann sich bekannte, in Stolz, Dankbarkeit und Ehrfurcht sagen: Er war auch unser.

Die christliche Wahrheitsfrage und die Unabgeschlossenheit der Theologie als Wissenschaft

Bemerkungen zum wissenschaftlichen Werk Rudolf Bultmanns

Erich Dinkler

Etwas von der denkerischen Bewegtheit des Theologen Rudolf Bultmann durchblicken zu lassen, war die Absicht bei der Themafassung dieses Vortrags. Das Movens bei ihm ist die christliche Wahrheitsfrage: Inwiefern ist in Christus Gottes Wahrheit für die Menschheit offenbar geworden? Wie läßt sich diese Voraussetzung aller kirchlichen Verkündigung, die Gottesfrage sei nur mit der Christusbotschaft zu beantworten, dem modernen Menschen verständlich machen? Und leitende These ist: Theologie ist begriffliche Entfaltung des dem Glauben an Gott inhaerenten Wissens, nicht etwa Wissenschaft von Gott[1]; Theologie muß also immer vom Glaubens-

[1] Vgl. zur Definition R. Bultmann, Theologie des Neuen Testaments, Tübingen 1965[5], S. 191. – In der (unveröffentl.) Vorlesung „Enzyklopädie der Theologie", die Bultmann zwischen 1925 und 1937 öfters zweistündig hielt und jeweils mit Zusätzen versah, heißt es auf Blatt 165 a/b: „Was ist Theologie als Wissenschaft? Ihr Gegenstand ist Gott, so wie er in der einzig möglichen Zugangsart, im Glauben, gesehen wird. Er zeigt sich in der Offenbarung und wird gesehen im Glauben. Also sind in einem *Offenbarung und Glauben* der Gegenstand der Theologie – jene, wie sie im Glauben verständlich ist, also nicht als ein allgemein sichtbares Weltphänomen; dieser, wie er das Verstehen der Offenbarung ist, also nicht als ein Phänomen menschlichen Geisteslebens überhaupt. Das Thema der Theologie kann also auch bezeichnet werden als die von Gott bestimmte Existenz des Menschen. Denn die Offenbarung ist nicht ein Weltphä-

zeugnis des Neuen Testaments ihren Ausgang nehmen[2] und kann, getrieben von der Frage nach Gott und Christus, niemals zu einer abschließenden Formulierung kommen, sondern muß sich in ständiger Offenheit für neue Einsichten freihalten – womit die prinzipielle Unabgeschlossenheit der Theologie als Wissenschaft vom Glauben an Gott gegeben ist.

Allzu oft wird Bultmann in einem festen theologiegeschichtlichen Rahmen gesehen, nämlich als ein aus seinem liberalen und kritisch historischen Erbe durch die Einflüsse von Karl Barth und Martin Heidegger hinausgeführter theologischer Denker. Das Eigene wäre dann die Synthese dieser drei Quellen und dazu die persönliche, unerbittliche Wahrhaftigkeit sowie die methodologische Reflexion. Doch: Liegen die Wurzeln wirklich so einfach und verrechenbar zutage?

Es liegt mir ein Brief Bultmanns an seinen Freund und späteren Marburger Kollegen Hans von Soden, damals noch in Breslau, vom Oktober 1921 vor[3], in dem der eigentliche Bruch

---

nomen, sondern ein Geschehen in der Existenz; und Glaube ist ein bestimmtes Wie der Existenz, eben gläubiges, durch die Offenbarung bestimmtes Existieren ... Theologie als Reden von Offenbarung und Glaube gibt es *nur als christliche Theologie*, ... wenn wirklich Gott nur in seiner Offenbarung durch Christus zugänglich ist." – Vgl. mit dieser Definition der Theologie als Wissenschaft M. Heidegger, Phänomenologie und Theologie, Frankfurt 1970, S. 20 f. und passim. Der erste Teil der übrigens R. Bultmann gewidmeten Schrift war am 14. 2. 1928 in Marburg als Vortrag gehalten worden und zeigt stellenweise ebenso Bultmanns Einfluß auf Heidegger wie umgekehrt. – *Kursiv* Gedrucktes in Bultmann-Zitaten weist auf Unterstreichung im Manuskript.

[2] In den ersten Sätzen der „Theologie des Neuen Testaments", S. 1f., heißt es: „... die Theologie besteht in der Entfaltung der Gedanken, in denen der christliche Glaube sich seines Gegenstandes, seines Grundes und seiner Konsequenzen versichert ... Erst mit dem Kerygma der Urgemeinde beginnt theologisches Denken, beginnt die Theologie des NT."

[3] Handschriftlich in der persönlichen Korrespondenz Hans von

mit der historistisch-liberalen Linie im Protestantismus und der Wille zum Neuen sich bereits deutlich anzeigt und der *vor* die Begegnung mit Karl Barth (1922) und Martin Heidegger (1923) fällt[4].

Sodens, aus Marburg am 30. 10. 21, also wenige Wochen nach Bultmanns Übersiedlung von Gießen nach Marburg als Nachfolger des nach Bonn gegangenen W. Heitmüller.

[4] Aus einem anderen Briefe Bultmanns an von Soden vom 23. 12. 23: „Das Seminar [W.S. 1923/24: Die Ethik des Paulus] ist für mich diesmal besonders lehrreich, weil unser neuer Philosoph Heidegger, ein Schüler Husserls, daran teilnimmt. Er kommt aus dem Katholizismus, ist aber ganz Protestant, was er neulich in der Debatte nach einem Vortrag Hermelinks über Luther und das Mittelalter bewies. Er hat nicht nur eine vortreffliche Kenntnis der Scholastik, sondern auch Luthers und brachte Hermelink einigermaßen in Verlegenheit; er hatte offenbar die Frage tiefer erfaßt als dieser. – Es war mir interessant, daß Heidegger – auch sonst mit der modernen Theologie vertraut und bes. ein Verehrer Herrmanns – auch Gogarten und Barth kennt und bes. den ersteren ähnlich einschätzt wie ich. Sie können sich denken, wie wesentlich es mir ist, daß Sie hierherkommen und an dieser Auseinandersetzung teilnehmen. Die ältere Generation ist dazu unfähig, da sie die Problematik gar nicht mehr versteht, um die wir uns bemühen. Das zeigte sich neulich in der Debatte nach einem Vortrag von Siegmund-Schultze, als die Frage erörtert wurde, ob die Kirche nur Wortverkündigung oder auch soziale Arbeit zu bieten habe. Ich vertrat das erstere, indem ich betonte, daß soziale Arbeit nicht ohne Sachkenntnisse und ein bestimmtes soziales Programm betrieben werden könne, wenn es nicht Pfuscherei oder Herumkurieren an Symptomen sein solle; daß man das Fühlungnehmen und Brückenschlagen von Person zu Person nicht als ‚soziale Arbeit' bezeichnen könne. Daneben betonte ich ebenso, daß, wenn Wortverkündigung das Amt der Kirche sei, dies natürlich nicht bedeuten könne, in leeren Großstadtkirchen Sonntagspredigten zu halten, sondern *dort* und *so* zu verkündigen, daß es gehört werden kann, wofür Voraussetzung ist, daß der Theologe die sozialen Probleme kennt und die Verantwortung für sie trägt." – Vgl. hierzu auch den Bericht an K. Barth in: K. Barth-R. Bultmann. Briefwechsel 1922–1966, hg. B. Jaspert, K. Barth Gesamtausgabe V, 1, Zürich 1971, S. 24–27.

Es ist ein Programm-Entwurf Bultmanns für eine eventuelle Neuorientierung der „Christlichen Welt" Martin Rades, zu dem er von Sodens Kritik und Ergänzung erbittet. Neu sieht er gegenüber der bisherigen Zeit das Verhältnis zur Geschichte – der Historismus der vergangenen Generation sei überwunden; neu das Verhältnis zur Kultur, die nicht als Weg zum Reich Gottes mißverstanden werden darf; neu das Verhältnis zur Mystik, in der keine ergreifbare Methode zur Erfassung des Göttlichen vorliegt; neu sieht er das Verhältnis zum Gottesdienst der Gemeinde, in dem Anbetung und Andacht zu kurz kommen, pädagogische Zielsetzungen falsch am Platze sind, in dem Wortverkündigung, und nicht Sakramentsmagie, die tragende Kraft sein muß.

Die von Bultmann durchstilisierten Thesen weisen deutlich in die Richtung dessen, was 1924 in seinem Vortrag über „Die liberale Theologie und die jüngste theologische Bewegung" in stärkerer Orientierung am Neuen Testament herausgearbeitet wird und doch bereits 1921 im wesentlichen als Ansatz vorlag. Die Begegnungen mit Barth und Gogarten haben nur geklärt, was als eigene Frage schon da war.

Es sind die ersten Jahre in Marburg, die nach der Korrespondenz, nach den Arbeitsergebnissen und nach der Gedankenrichtung zu urteilen, Bultmanns theologische Umbruch- oder Wendezeit waren. In sie hinein fiel seit 1923 eine intensive freundschaftliche Zusammenarbeit mit Heidegger, die sich in gegenseitigem Seminarbesuch, gemeinsamen Ferien in Todtnauberg mit Lektüre von Kierkegaards „Philosophischen Brocken" und gemeinsamen Tagungen äußerte[5]. In diese Zeit

---

[5] Brief Bultmanns an H. v. Soden vom 24. 8. 26 aus Todtnauberg: „Mit Heidegger lese ich Kierkegaards ‚Philosophische Brocken'. Erstaunlich, daß dies Buch in 2–3 theologischen Generationen nicht fruchtbar wurde; es klingt fast wie für heute geschrieben!" Vorher im gleichen Brief: „Für mich las ich außer kleineren Sachen Jaspers' ‚Psychologie der Weltanschauungen'; sehr fein und belehrend.

fällt auch die Niederschrift des Jesusbuches, die religionsgeschichtliche Verarbeitung der Mandäischen Schriften und die entscheidenden Einsichten in die literarkritischen Probleme des Johannesevangeliums. Im Blick auf unser Thema heißt das: Die Wahrheitsfrage war nicht allein auf das Selbstverständnis des Glaubens gerichtet, sondern umfaßte ebenso philologische Einzelfragen und historische Zusammenhänge.

Zu der 1923 zwischen Harnack und Barth in der „Christlichen Welt" geführten Diskussion über „Fünfzehn Fragen an die Verächter der wissenschaftlichen Theologie unter den Theologen"[5a] notierte Bultmann in einem anderen Briefe an v. Soden, er stehe in der Sache auf seiten Barths, auch wenn dessen Begrifflichkeit oft unglücklich sei. Bultmann blieb der suchende Exeget, als solcher auch Historiker[6], der zwar der

---

Die Begrifflichkeit ist freilich noch ungenügend, insbesondere fehlt der klare Begriff der geschichtlichen Existenz; aber gerade das ist lehrreich zu sehen, wie der Sache nach die Erkenntnis da ist und sich geltend macht. Ebenso wie bei Dilthey-Yorck ist die Auffassung des Verhältnisses vom Denken zum geschichtlichen Leben sehr instruktiv."

[5a] Christliche Welt 27, 1923, S. 6–8; 89–91; 142–144; 244–252; 305–306.

[6] Vgl. den Literaturbericht „Urchristliche Religion (1915–1925)", Archiv für Religionswissenschaft 24, 1926, der ein oder zwei Jahre vorher verfaßt worden war, über K. Barths Kommentare (S. 137 f.): Die Kommentare Lietzmanns und M. Dibelius' im Handbuch zum Neuen Testament werden „als typisch für die moderne historische Pauluserklärung" bezeichnet. „Gemeint ist damit, daß sie auf der Höhe moderner philologisch-historischer Arbeit stehen, die aus umfassender Kenntnis des zeitgeschichtlichen Materials die Dokumente an ihrem zeitgeschichtlichen Ort in ihren zeitgeschichtlichen Bedingtheiten versteht. Man könnte versucht sein, auch diese Interpretationsweise nunmehr als überholt zu bezeichnen, wenn man die Kommentare Karl Barths zu den Briefen an die Römer und an die Korinther liest. Indessen wäre es ein Mißverständnis zu glauben, daß hier an die Stelle historisch-philologischer Erklärung eine neue, etwa gar erbauliche gesetzt werden soll. Viel-

sog. Dialektischen Theologie Barths, Thurneysens, Emil Brunners und Gogartens durch seine Unterstützung in der Fragestellung, im Suchen nach dem Sinn biblischer Texte für die Gegenwart die Anerkennung einer auch wissenschaftlichen Bewegung gab, der aber unter den Professoren der Theologie seiner Zeit der einzige blieb, der sich ganz der neuen Richtung theologischen Fragens anschloß. Es kam bei Bultmann zu einer in der Glaubensgewißheit wurzelnden Freiheit des Fragens, insofern er davon überzeugt war, daß historische Tatsächlichkeit und Glaubenswahrheit sich nicht identifizieren lassen. Konkret: Weder der Glaube noch der Unglaube können durch empirische Evidenz, etwa archäologisch durch die Leerheit des Grabes Jesu in Jerusalem oder das Nichtleersein eines Grabes am Vatikanischen Hügel in Rom gestützt werden; ja, prinzipiell kann die kritische Wissenschaft das Wagnis des

---

mehr setzt Barths Erklärung jene durchaus voraus, wenigstens grundsätzlich, wenn er auch nicht allzu oft von ihr Gebrauch macht. Worin aber besteht das Neue seiner Kommentare, soweit es für unseren Zusammenhang in Betracht kommt? Wie die Erklärung eines philosophischen Textes, etwa des Platon oder Aristoteles, natürlich nicht damit auskommt, die zeitgeschichtlichen Bedingtheiten des Textes nachzuweisen, sondern ein Verhältnis des Interpreten zur Sache, zur philosophischen Problematik, um die es sich handelt, voraussetzt, so kann auch ein Dokument der Religion oder der Theologie offenbar nicht endgültig erklärt werden, wenn es nur zeitgeschichtlich fixiert wird, sondern es muß auch von der Sache aus verstanden werden; auch sein sachlicher Ort muß sozusagen fixiert werden. ... Das geschichtliche Verständnis eines Textes ist eben auch selbst ein Vorgang der Geschichte. Von diesem Gesichtspunkt aus halte ich die Kommentare Barths, was auch im einzelnen an ihnen auszusetzen sei, für einen notwendigen Fortschritt, und wie weit sie für die Geschichte der Exegese epochemachend sein werden, hängt davon ab, wie weit es gelingen wird, über die Einseitigkeit, mit der Barth seinen Gesichtspunkt durchführt, hinauszukommen und die sachlich orientierte Exegese mit der zeitgeschichtlichen zu einer Einheit zu verbinden."

Glaubens nicht beseitigen oder verringern. Anderseits aber kann der Glaube dem wissenschaftlich fragenden Exegeten den Zugang zur Sinnfrage eröffnen, weil innerhalb des hermeneutischen Zirkels der Glaube ein Vor-Verständnis mitgibt, das im Vollzug der Befragung der Texte eingesetzt und aufs Spiel gesetzt werden muß. Die hermeneutische Bedeutung des Glaubens bei der wissenschaftlichen Arbeit und in der Freiheit des Fragens ist wohl bei Bultmann der Zug, an dem die Wende gegenüber der Zeit Harnacks und des Gießener Kirchenhistorikers Gustav Krüger deutlich wird[7], die die Freiheit der Theologie nur durch eine „unkirchliche Wissenschaft" gesichert sahen. Bultmanns Weg als moderner Denker, der hermeneutisch die Stufen von Kierkegaard, Dilthey, Yorck von Wartenburg bis Heidegger durchschritten hatte, brach mit dem Hindernis des objektivierenden Denkens, das im idealistischen Subjekt-Objekt-Schematismus gründete und die Theologie gefangen hielt[8]. Dies war ihm möglich mittels Heideggers

[7] Christliche Welt 14, 1900, S. 804–807.

[8] Die Kritik am Subjekt-Objekt-Schematismus ist bei Bultmann seit dem Aufsatz „Welchen Sinn hat es, von Gott zu reden?" (1925 = Glauben und Verstehen I, Tübingen 1933 [1972⁷], S. 26 ff.) zu fassen. Zur breiteren Entfaltung später vgl. F. Gogarten, Entmythologisierung und Kirche, Stuttgart 1953, S. 43 ff. – Die vier Aufsatzbände „Glauben und Verstehen" deuten mit ihrem Titel nicht nur auf den hermeneutischen Horizont hin, sondern meinen auch die Korrelation von ‚Glauben und Lieben'. In der „Enzyklopädie der Theologie" heißt es Bl. 134d: „*Das Hören des Wortes der Offenbarung und das Verstehen des Augenblicks müssen also eine Einheit bilden.* Wenn jenes der Glaube ist und dieses die Liebe, so müssen diese Eines sein. In der Entscheidung des Glaubens fällt die Entscheidung der Liebe und diese fällt nicht ohne jene." Dazu Bl. 134f: „*Erst in der Entscheidung der Tat der Liebe fällt die Entscheidung des Hörens, des Glaubens wirklich.* Eben darin zeigt sich wieder, daß der Mensch geschichtlich verstanden ist: seine Zeitlichkeit bedeutet nicht das Nacheinander der innerzeitlichen Momente, sondern die Erstrecktheit seines zeitlichen Seins. Im Jetzt der Glaubens-

existentialer Analytik. An Karl Jaspers, dem nicht nur die Verwendung von Heideggers „Sein und Zeit" bei Bultmann mißfiel, sondern ebenso sein Insistieren auf der an Christus orientierten Wahrheitsfrage, schrieb Bultmann: „Das ist das Paradox der Theologie, daß sie objektivierend – wie alle Wissenschaft – vom Glauben reden muß, im Wissen, daß alles Reden seinen Sinn nur findet in der Aufhebung der Objektivation."[9] Der Glaube also verfügt nicht über die Wahrheit seines Gegenstandes und die Theologie als Wissenschaft vom Glauben an Gott kann nur *mit* der Möglichkeit des Irrtums leben. „. . . nur wenn sie die Möglichkeiten des Irrtums hat, hat die Theologie auch die Möglichkeit der Wahrheit." Die „einzige Kontrollinstanz für die Theologie ist das faktische kirchliche Leben", nicht „eine behördliche Instanz" – schreibt Bultmann 1931 in einer Denkschrift[10] über die Theologischen Fakultäten an das Ministerium in Berlin.

Es wird hier auf das kirchliche Leben als geschichtliches Phänomen, das Kontrollinstanz für Wahrheit sein soll, hingewiesen. Angesichts der lange Zeit öffentlich in Frage gestellten Kirchlichkeit Bultmanns, dessen „Konklusionen" Karl Barth als „häretisch" bezeichnete[11] (– dabei seine eigene Position

---

entscheidung ist er zugleich der, der er sein wird, ergreift er seine Zukunft, und in der Liebestat bewährt er seine Treue. Ohne die Treue war seine Entscheidung keine echte, sondern eine Illusion."

[9] K. Jaspers und R. Bultmann, Die Frage der Entmythologisierung, München 1954², S. 72.

[10] Vgl. K. Barth-R. Bultmann. Briefwechsel (Anm. 4), S. 243 ff.

[11] Vgl. den theologiegeschichtlich denkwürdigen Brief Karl Barths an Landesbischof Wurm über die Frage eines Ketzerverfahrens gegen Bultmann in: Briefwechsel (Anm. 4), S. 287 ff. – In einem Aufsatz im Sonntagsblatt 29, 1976, 32 vom 8. August schreibt Heinz Zahrndt über Bultmann unter der Überschrift „Ketzer und Kirchenvater", Bultmann würde wohl immer den Theologen vor Gott als iustus et peccator und in dieser Linie als ‚Zeugen *und* Ketzer' bezeichnet haben. – In der „Enzyklopädie der Theologie"

– einschließlich der Verneinung eines Sakraments der Taufe – als orthodox voraussetzend –) mögen einige Worte zu seiner kirchlichen Bindung angebracht sein. Allen Veröffentlichungen Bultmanns ist ein kirchliches Selbstverständnis zu entnehmen, das sich vor allem im Wissen um die theologische Verantwortung in der Kirche[12], in der Ausbildung des Pfar-

---

Bl. 165 m/n heißt es: „Die Ausgegrenztheit des Glaubens gegenüber dem übrigen Dasein ist keine äußerliche, und der Glaubende ist nicht ein für allemal dem nicht-glaubenden Dasein entnommen und definitiv bei seinem Gegenstand, so daß theologische Wissenschaft ihn nur an seinen Gegenstand ‚erinnern' brauchte. Sondern der Glaubende existiert, und wie die Offenbarung geschichtliches Ereignis ist, so ist gläubiges Existieren eine Weise geschichtlichen Existierens.

Darin ist die *Möglichkeit und die Unmöglichkeit der Theologie* gegeben. Die Möglichkeit, insofern geschichtlich existierendes Dasein sich versteht und dies Verstehen bewußt ausbilden kann. Es wendet in solcher Arbeit die Blicke vom Augenblick ab und ist auf sich selbst reflektiert. Die Unmöglichkeit, sofern solche Arbeit über ihren Gegenstand nicht verfügt. Aber existiert es (sc. das Dasein) dann noch im Glauben? Ist Theologie nicht ein menschliches Unternehmen, wie jedes andere auch? Und ist sein Gegenstand dann nicht ein innerweltlicher geworden? Hat sie nicht die Transcendenz verloren? Nun, gerade weil der Glaube eine Weise geschichtlichen Existierens ist, kann er gar nicht anders wirklich sein als in menschlichen Unternehmungen. Seine Transcendenz besteht nicht darin, daß er aus dem Dasein heraus genommen ist, sondern daß er im Dasein Gott vernimmt und ihm gehorcht.

Wie jedes menschliche Unternehmen eine Bewegung des Glaubens und als solches gerechtfertigt sein kann, sofern es als die Forderung des Augenblicks verstanden und ergriffen ist, so auch die Theologie. Die Theologie, als menschliche ein sündiges Unternehmen, muß unter der Gnade der Rechtfertigung stehen."

[12] Zur Ausrichtung von Bultmanns Arbeit auf die Kirche zitieren wir aus seiner Vorlesung „Enzyklopädie der Theologie", § 11 Offenbarung als geschichtliches Ereignis, Bl. 83 o/p: „*Das geschichtliche Faktum Jesus Christus* bestimmt die Geschichte und damit unsere Gegenwart nicht so wie andere Ereignisse der Geistesgeschichte,

rernachwuchses, in der Bemühung um regelmäßige Marburger Pfarrkonferenzen, nicht zuletzt in einer fast 5 Jahrzehnte währenden Betreuung der von ihm begründeten theologischen

---

nämlich so, daß ich selbstverständlich unter seinen geistigen Wirkungen stehe, und daß ich mich in deren ausdrücklicher Aneignung innerhalb meines sündigen Lebenszusammenhangs entscheide. Vielmehr so, daß durch dies Faktum mein ganzer Lebenszusammenhang infrage gestellt ist.

Es begegnet mir als meine Gegenwart bestimmendes nicht in der Weise, wie sonst Ereignisse der Vergangenheit begegnen in der geschichtlichen Tradition, an der jeder gestaltend mitarbeitet, sondern in einer eigenen Tradition, in der *Wortverkündigung der Kirche.*

In der *kirchlichen Verkündigung* wird das Faktum der Vergangenheit je für mich vergegenwärtigt. Mit dem Geschehen, das sich in Christus vollzogen hat, gehört die Einsetzung des Wortes der Verkündigung untrennbar zusammen. Gott ist es, der die Welt durch Christus mit sich versöhnt und die διακονία τῆς καταλλαγῆς, den λόγος τῆς καταλλαγῆς eingesetzt hat (2. Kor. 5,18 f.). Daher ist das Jetzt, da die Verkündigung den Menschen trifft, das eschatologische Jetzt: ἰδοῦ νῦν καιρὸς εὐπρόσδεκτος, ἰδοῦ νῦν ἡμέρα σωτηρίας (2. Kor. 6,2). Das Jetzt, die ὥρα, da die Stimme des Gottessohnes erklingt, ist jedes Jetzt, da die Verkündigung einen Menschen trifft (Joh. 5,25).

Wir kommen also *aus einer Geschichte der Liebe,* insofern in Christus die göttliche Vergebung für die Menschen Wirklichkeit geworden ist und je Wirklichkeit werden kann in der kirchlichen Verkündigung und Wirklichkeit wird im Glauben, der sie sich aneignet. Über allem, was geschehen ist und geschieht, steht seit Christus schon das Wort der Vergebung. Es begegnet uns als das legitimierte Wort der kirchlichen Verkündigung, die nur mit göttlicher Autorität die Vergebung zuspricht und uns dadurch zur Liebe befreit. *Gottes Offenbarung als geschichtliches Ereignis ist also Jesus Christus als das Wort Gottes,* das in dem kontingenten historischen Ereignis Jesus Christus eingesetzt und in der kirchlichen Tradition lebendig ist." – Zu seiner Interpretation von 2. Kor. 5,18 ff. vgl. R. Bultmann, Der zweite Brief an die Korinther, hg. E. Dinkler, Göttingen 1976, S. 159 ff.

Arbeitsgemeinschaft „Alter Marburger" äußerte und ihn auch während der Kriegsjahre zu Religionsunterricht in der Schule veranlaßte[13]. Im Unterschied zu von Soden war ihm das Kirchenrechtliche und Kirchenpolitische in den Synoden nicht angelegen. Um so stärker empfand er die Pflicht, der Wahrheitsfrage der Predigt, des Bekenntnisses und des kirchlichen Handelns inmitten der Welt in immer neuen Ansätzen sich zu widmen und dabei Redlichkeit des Urteils und intellektuelles Gewissen einzusetzen. Ob es sich um eine theologische Warnung an die Hörer des Kollegs vor falschen Entscheidungen 1933 handelte[14], oder um ein weit verbreitetes Gutachten

---

[13] Zwischen 1942 und 1945 hat Bultmann am Gymnasium in Marburg freiwillig aushelfend in der Oberstufe ‚Religionsunterricht' erteilt, da dieser sonst wegen des Kriegsdienstes der Lehrer ausgefallen wäre.

[14] Bemerkenswert ist noch heute, was Bultmann am 2. 5. 1933 zu Beginn des Sommersemesters im Kolleg zur „Aufgabe der Theologie in der gegenwärtigen Situation" gesagt und dann in den „Theologischen Blättern" veröffentlicht hat. Mit Recht hat E. Jüngel, Redlich von Gott reden, Ev. Kommentare 1974, S. 475–477, darauf zurückgegriffen und einiges zitiert. Ich greife aus dem vollständig abgedruckten Text nur zwei Stellen heraus: „Da wir als Theologen im Dienste der Kirche den Grund und Sinn des christlichen Glaubens für unsere Generation zu entwickeln haben, muß das Erste die Besinnung auf das grundsätzliche Verhältnis des Glaubens zu Volk und Staat, auf das grundsätzliche Verhältnis zwischen glaubendem und politischem Leben sein. Dieses Verhältnis ist aber dadurch bestimmt, daß sich der Glaube auf den Gott richtet, der der Schöpfer und Richter der Welt und ihr Erlöser in Jesus Christus ist. Das bedeutet, daß das Verhältnis Gottes zur Welt und deshalb des Glaubens zum weltlichen und damit zum politischen Leben ein eigentümlich doppelseitiges ist ..."

„Deshalb sind alle Ordnungen, in denen wir uns vorfinden, *zweideutig*. Sie sind *Gottes* Ordnungen, aber nur, sofern sie uns zu unserer konkreten Aufgabe im Dienst rufen. Sie sind Ordnungen der Sünde in ihrer bloßen Gegebenheit."

über „Neues Testament und Rassenfrage“[15] aus dem gleichen Jahre, oder um die gelebte Freundschaft mit den jüdischen Kollegen in anderen Fakultäten: Bultmann lebte, was er glaubte, er setzte es um in ein christliches Existieren, das in der Nichtbeachtung zeitgeschichtlicher politischer Maximen brisant politisch war.

Die Zugehörigkeit Bultmanns und von Sodens zur Bekennenden Kirche[16] von Anbeginn an hatte in der Theologenschaft ein starkes Echo. Marburg war eine damals auch von ausländischen Theologiestudenten – bes. aus der Schweiz, Schottland und Dänemark – stark besuchte theologische Fakultät. Es kam nun freilich zur kirchlichen Kritik an der vermeintlich den Glauben gefährdenden Wissenschaftlichkeit Bultmanns und anderer Theologen, denen die Bekennende Existenz entscheidender war als die Bekenntnis-Dogmatik. Bultmann sah sich mit anderen oft in einer doppelten Front-

---

[15] Als Flugblatt von Bultmann entworfen und in 20 000 Exemplaren (laut Notiz bei von Soden) hinausgegangen. Abgedruckt zusammen mit dem Gutachten der Marburger Fakultät „Zur Arierfrage in der Evangelischen Kirche Deutschlands“, das von Soden verfaßt hatte, in: Theol. Blätter 12, 1933, S. 289 ff.; 321 ff. und 359–370; ferner: Neue kirchliche Zeitschrift 44, 1933, S. 578–584.

[16] In einem Brief an den Reichsminister für Wissenschaft, Erziehung und Volksbildung unter Bezug auf Erlasse vom 6. Juni und 5. Juli 1934 schreibt Bultmann (Herbst 1934): „Da die wissenschaftliche Arbeit der Theologie ihre Begründung und Abzweckung in der Evangelischen Kirche hat, deren Bedeutung für Volk und Staat ja nicht zur Diskussion steht, ist es für den theologischen Lehrer ganz unmöglich, zu den kirchlichen Ereignissen und Gesetzen der Gegenwart im Unterricht nicht Stellung zu nehmen, wenn er nicht die Beziehung der Wissenschaft zum konkreten Leben preisgeben will, die der Wissenschaft doch erst ihr Recht verleiht. Denn da die schwebenden kirchenparteilichen Gegensätze zutiefst in einer gegensätzlichen Auffassung von der christlichen Lehre begründet sind, so läßt sich die Erarbeitung grundsätzlicher Klarheit in allen

stellung: Einerseits die Heterodoxie der mit der nazistischen Ideologie zusammenarbeitenden Deutschen Christen, die ihr „positives Christentum" auf die Liebesethik eines sog. arischen Jesus von Nazareth und auf einen von der sog. jüdisch-paulinischen Sündenlehre befreiten Schöpfungsglauben reduzieren wollten, anderseits eine starke Orthodoxie in der Bekennenden Kirche, die gegen die Universitätstheologie schon deshalb Verdacht hegte, weil sie vom Staate noch geduldet wurde, und die die Credosätze des Apostolischen Glaubensbekenntnisses als die Ergebnisse neutestamentlicher Arbeit eingrenzend ansetzen wollte. Manche Predigten dieser Zeit zeigten denn auch die Tendenz, das Nein zur politischen Um-

---

die christliche Lehre betreffenden Fragen, die der Herr Minister mit vollem Recht als eine der Aufgaben der theologischen Wissenschaft bezeichnet, gar nicht von der Stellungnahme zu den kirchenpolitischen Gegensätzen der Gegenwart trennen, auch dann nicht, wenn ich diese Gegensätze nicht zum direkten Thema meiner Vorlesungen mache. Es ist aber ebenso unmöglich, im akademischen Unterricht eine bestimmte Anschauung zu vertreten und nachher im praktischen Leben nicht die Konsequenzen solcher Anschauung zu ziehen. Der Unterricht würde sich dadurch verächtlich machen ... Daraus folgt aber für mich mit Notwendigkeit, daß ich dem Erlaß des Herrn Reichsministers vom 6. Juni, der die sog. Kommissarische Kirchenregierung in Kurhessen und Waldeck bis auf weiteres als legal erklärt, nicht folgen kann. Denn wenn ich als Christ und Theologe der Überzeugung bin, daß das legitime, d. h. den kirchlichen Bekenntnissen entsprechende Anliegen der Evangelischen Kirche allein in der sog. Bekennenden Kirche vertreten wird, so kann ich mich nicht der sog. Kommissarischen Kirchenregierung für die theologische Prüfung zur Verfügung stellen. Ich würde gegen mein Gewissen handeln, wenn ich durch solchen Dienst ein Kirchenregiment, das ich für bekenntniswidrig halten muß, als legitim anerkenne." – Der Brief ist im Nachlaß von Soden mit dessen Notiz versehen: „Entwurf, nicht abgesandt." Gleichwohl ist er als Quelle für Bultmanns Denken und Handeln wichtig, zumal die Nichtabsendung m. W. ihre Ursache in der Aufhebung des sog. „Maulkorb-Erlasses" hatte.

welt durch ein lautes Zitieren von Credoformeln entschlossener erscheinen zu lassen.

Die Doppelfront von politisch orientierter, reichskirchlicher Heterodoxie und biblizistischer Orthodoxie, die damals Ausdruck einer deutschen Situation von Kirche und Theologie war, veranlaßte Bultmann 1941 zur Schrift „Offenbarung und Heilsgeschehen", die in einer Reihe der Bekennenden Kirche publiziert wurde[17]. Auch war der Auftrag, sich bei einer Tagung der Gesellschaft für Evangelische Theologie in Alpirsbach über das Problem der neutestamentlichen Hermeneutik grundsätzlich zu äußern, von einem Gremium der Bekennenden Kirche ausgegangen. Wenn ich recht sehe und richtig urteile, dann sind für die Theologiegeschichte der Evangelischen Kirche Deutschlands in den bisher abgelaufenen drei Vierteln des 20. Jahrhunderts zwei Dokumente herausragend und auch die innere Entwicklung prägend gewesen: Die Barmer Theologische Erklärung der Bekennenden Kirche von 1934 und Bultmanns Programm der Entmythologisierung von 1941 – das erste entscheidend von K. Barth geprägt und das Wort der Bekennenden Kirche auf ihrer ersten Synode, das zweite eine

---

[17] Zuerst erschienen 1941 als Bd. 7 der „Beiträge zur Evangelischen Theologie" im Evangelischen Verlag A. Lempp-München (früher Chr. Kaiser Verlag). Die beiden Teile der Schrift wurden in den Nachkriegs-Abdrucken auseinandergerissen und sind deshalb leider nicht mehr in ihrer sachlichen Korrelation theologisch gewürdigt worden. – Die Einsicht in die Aufgabe, die mythologischen Vorstellungen zu interpretieren, ja zwischen Kerygma als Anrede und Theologie als Entfaltung des Kerygmas zu unterscheiden, geht zurück bis 1927: Vgl. Glauben und Verstehen I, S. 262 f. und dazu ebenda, S. 315 f. – Der Vortrag in Alpirsbach am 4. 6. 1941 war vorher bereits auf einer Tagung der Gesellschaft für Evangelische Theologie in Frankfurt/Main gehalten worden; anscheinend Ende April/Anfang Mai 41 – wie einem Brief Ernst Wolfs aus Halle vom 18. 5. 41 an H. v. Soden zu entnehmen ist.

theologische Arbeit eines einzelnen Theologen, von Synoden mehr kritisiert als toleriert.

Der erste, oft unbeachtete Teil der Schrift „Offenbarung und Heilsgeschehen" lautet[18]: „Die Frage der natürlichen Offenbarung"; der zweite Teil[19] trägt den Titel: „Neues Testament und Mythologie – Das Problem der Entmythologisierung der neutestamentlichen Verkündigung." Die beiden Teile sind sachlich aufeinander bezogen und stellen die Frage nach der Wahrheit der Predigt der Kirche. Der 1. Beitrag fragt: „Wird Gott nur in Christus sichtbar? Oder auch anderswo, in Natur und Geschichte?" Die Frage richtet sich gegen die im „Dritten Reich" besonders auf die Volksgeschichte als Offenbarung Gottes bezogene Ideologie, gegen die Bultmann nun nicht mit einem philosophischen Gottesbeweis oder einer Apologie der christlichen Offenbarung auftritt, sondern mit dem Hinweis: „Der Maßstab für solche kritische Frage kann nur die Erkenntnis sein, die der christliche Glaube vor Gott hat." Und die eigentliche Antwort auf die Frage nach Sinn und Ort der Offenbarung lautet: „Das ist die eigentliche Behauptung des Glaubens, daß Gott durch Jesus Christus seine Gnade hat erscheinen lassen (Tit. 2,11), daß er durch ihn die Welt mit sich versöhnt hat (2. Kor. 5,18), daß er in ihm Gerechtigkeit und Heiligkeit und Freiheit schenkt (1. Kor. 1,30; 2. Kor. 3,17; Gal. 5,1). In dieser Offenbarung in Jesus Christus ist wirklich *Gott* offenbar." Nur noch für das Alte Testament wird eine Möglichkeit der Offenbarung zugegeben, wo sie nämlich der an Christus Glaubende erkennt, indem er sich auf die vergebende Gnade Gottes in Christus verwiesen sieht.

---

[18] Abgedruckt in: Glauben und Verstehen II, Tübingen 1952 (1968^{5}), S. 79–104.

[19] Abgedruckt in: Kerygma und Mythos, hg. H. Bartsch, I, Hamburg 1948, S. 15–53.

Ausgeschlossen ist auch hier eine direkte Offenbarung Gottes in der und durch die Volksgeschichte Israels[20].

---

[20] In der Erstausgabe 1941, S. 25 f. (= Glauben und Verstehen II, S. 103) heißt es (Kursive für Unterstreichung im Original): „*Können wir im Sinne des Alten Testaments von Gottes Offenbarung in Natur und Geschichte reden? Wir können* es zweifellos, nämlich eben dann, wenn wir unserer Kreatürlichkeit inne werden. *Sollen* wir es? ja und nein! *Nein:* denn wir sollen uns doch nicht bewußt und absichtlich in das Stadium der Hoffnung zurückbringen, wenn Gott die Erfüllung geschenkt hat. Wir sollen uns als Glaubende gerade nicht in unserer Kreatürlichkeit, sondern als „neue Kreatur" verstehen. Ja, im Grunde können wir es ja gar nicht, wenn wir wirklich an die vergebende Gnade Gottes in Christus glauben, wenn wir unsere Existenz als eschatologische Existenz erfaßt haben. Dann ist ja Gottes Gericht und Gnade eben in Christus offenbar, und wir können unsere Augen nicht abwenden. Und eben deshalb: Nein! wir sollen es nicht; denn das würde ja heißen, aus dem Glauben fallen.

Aber in einem gewissen Sinne gilt doch: *Ja!* Insofern nämlich, als das Stehen im Glauben ja nicht ein gesicherter Zustand ist, sondern ein ständiges Neuergreifen der Offenbarung, ein ständiges Zufluchtnehmen zur Gnade Gottes. Die Welt begegnet uns ja ständig verführerisch, dazu nämlich verführerisch, daß wir doch wieder meinen, auf uns selbst stehen zu können, und sei es auch gerade auf unserer Gläubigkeit. ... Das also ist die ständige Offenbarung Gottes in Natur und Geschichte, daß sie uns lehrt, daß wir die Offenbarung eben nicht *haben*, daß wir in dem was wir sind und haben, nichtig sind vor Gott. Das ist ihr Sinn, daß sie uns ständig in die Haltung dessen zurückweist, der weiß, daß er nur empfangen kann und nichts hat, was er nicht empfangen hätte, also in die Haltung des Glaubens (1. Kor. 4,7). Das also ist endlich der Sinn der Offenbarung in Natur und Geschichte, daß sie uns ständig verweist auf die Offenbarung der vergebenden Gnade Gottes in Christus. Nur indem sie das tut, ist sie aber für uns Offenbarung; das heißt aber außer Christus ist sie es für uns nicht." Wenn man diese Ausführungen mit dem Aufsatz „Die Bedeutung des Alten Testaments für den christlichen Glauben", in: Glauben und Verstehen I, S. 313–336 vergleicht, so findet man, daß die Grundposition sich zwar nicht geändert hat, daß es bei Bultmann nur in Christus eigentliche Offenbarung gibt, daß aber der Situation der Zeit von 1941 entsprechend

Diese Betonung der Exklusivität des Zugangs zu Gott in Christus führte zur Frage nach der Vernehmbarkeit der neutestamentlichen Texte in der Gegenwart mit ihrem durch die physikalischen Theorien Einsteins und Max Plancks geprägten Weltbild[21]. Läßt sich heute so einfach das in der Sprache der Bibel, im Rahmen eines mythischen Weltbildes Gesagte, repristinieren, übernehmen? Ist es nicht auch eine Redeweise, in der das Heilsgeschehen naiv objektiviert verkündet wurde? Die Antwort Bultmanns ist: Der Mythos ist Sprachmittel der Zeit, er ist nicht zu eliminieren, sondern zu interpretieren und zwar auf seine kerygmatische Intention hin auszulegen. Ferner: Im Mythos der neutestamentlichen Sprache drückt sich das Selbstverständnis des Glaubens aus; er bietet keine Kosmogonie, ist kein Erkenntnisgegenstand, hat keinerlei naturwissenschaftliche Intention, er ist vielmehr eine Sprachwirklichkeit des geschichtlich existierenden Menschen. Das leitende Interesse Bultmanns bei diesem Programm war, dem modernen Menschen, der sich in der kirchlichen Tradition nicht mehr zurechtfand, der zwischen Christlichem Glauben und

---

eine kirchliche Verkündigung des Wortes Gottes im Alten Testament hier auf der Basis der Christusoffenbarung bejaht wird!

[21] Natürlich darf Bultmanns physikalisches Weltbild nicht an bestimmten Entwicklungsstufen – seien sie durch Einstein und Planck oder Heisenberg und Entwicklungen der 70er Jahre gegeben – orientiert werden. Er hat nie versucht, modernste Naturwissenschaft und biblische Weltbilder derart in Einklang zu bringen, daß für Gott innerhalb oder außerhalb seiner Schöpfung ein gesicherter Platz bleibt. Bultmann liegt daran, das durch den Glauben sich schenkende Selbstverständnis gerade von dem jeweiligen naturwissenschaftlichen Weltbild zu lösen. Insofern könnten „Löcher" im Himmels-Firmament niemals die direkte Kommunikation von Transcendenz und Immanenz belegen. Zur Sache vgl. M. Heidegger, Holzwege, Frankfurt 1950, S. 69 ff.; H.-G. Gadamer, Wahrheit und Methode, Tübingen 1960, S. 415 ff.; E. Dinkler, Weltbild im NT, Religion in Geschichte und Gegenwart[3] VI, Tübingen 1962, Sp. 1615 ff.

Weltwirklichkeit zerrieben wurde, zu helfen. Seine im Kreise der Bekennenden Kirche für Theologen und gebildete Laien gegebenen Ausführungen wurden bald ihrem ursprünglichen Sitz im Leben der Kirche und der suchenden Wahrheitsfrage entfremdet und als anti-kirchlicher Angriff auf das Evangelium mißdeutet. Man sprach hier von „Dolchstoß", dort von „Dummköpfen in Marburg und anderswo", ja man lehnte – was wohl noch schlimmer war – teilweise theologische Gespräche mit Bultmann ab[22].

Die Sache, um die es Bultmann ging, wurde von vielen als notwendige Äußerung theologischer Redlichkeit begrüßt; von anderen als philosophische Verfremdung der christlichen Glaubensaussagen und implicite Kritik an Gottes Wort in der Schrift hart kritisiert[23]. Die wissenschaftliche Intention Bultmanns ist in den seither vergangenen 35 Jahren als „existentiale Interpretation" oder „existentiale Hermeneutik" in der Exegese des Alten und Neuen Testaments dort zu einem festen Gesichtspunkt des Verstehens geworden, wo man die Sinnfrage für den Menschen und die Kirche der Gegenwart stellt. In der Theologie haben Ernst Fuchs und Gerhard Ebeling[24] die hermeneutische Forderung Bultmanns aufgenommen und weitergeführt; in der Philosophie ist vor allem Hans

---

[22] Die Angaben sind belegbar aufgrund eines Briefes von Sodens an die Pfarrer der Bekennenden Kirche Kurhessens vom Sommer 1942.

[23] Zur Sache der philosophische Aufsatz von W. Anz, Der Weg Bultmanns, Wort und Dienst NF 8, 1965, S. 9–19; zur theologischen Diskussion vgl. umfassend G. Bornkamm, Die Theologie Bultmanns in der neueren Diskussion, Theologische Rundschau NF 29, 1963, S. 33–141; abgedruckt in: Ders., Geschichte und Glaube I, München 1968, S. 173–275.

[24] Vgl. besonders E. Fuchs, Marburger Hermeneutik, Tübingen 1968, und G. Ebeling, Wort und Glaube I–III, Tübingen 1960–1975.

Georg Gadamer[25] in seinem Werke den Weg Heideggers weitergegangen und hat Bultmanns Frage als methodologischen Gesichtspunkt einbezogen – nicht zuletzt auch Wilhelm Anz[25a].

Vieles von dem was Bultmann aus Wahrhaftigkeit aussprach und was einst als provozierend empfunden wurde, hat sich mittlerweile durchgesetzt: etwa, daß wir in der Bibel Gottes Wort im geschichtlichen Gewand menschlicher Glaubenszeugnisse erkennen, daß wir aber eine Verbalinspiration ablehnen; daß wir vom Heilsgeschehen als Ursache und Ziel des Glaubens sprechen, nicht aber von objektivierbaren Heilstatsachen; oder daß wir in der Perikope vom leeren Grabe nicht den Grund, sondern den Ausdruck des Osterglaubens hören; daß wir die biblische Schöpfungsgeschichte nicht als wissenschaftliche Aussage, sondern als eine Antwort auf die Frage nach dem Woher unseres zeitlichen Daseins verstehen.

Zur unerbittlichen Wahrhaftigkeit, zu kirchlicher Verantwortung und Radikalität des Fragens gehörte auch das Wissen um die dem Menschen und um so mehr dem Theologen gewiesenen Grenzen des Redens von Gott. Im Wissen des Glaubens um Gottes Transcendenz läßt sich nur von Gottes Handeln an uns sprechen, aber nicht von Gottes Eigenschaft und Wesen. Ein Mißverständnis der Intentionen Bultmanns ist es, wenn man annimmt, die Entmythologisierung wolle das Christsein leichter machen, den Gehorsam gegenüber Gott verkürzen oder das Quantum des zu Glaubenden verkleinern. Nein: Es geht um die nicht aufzugebende Paradoxie der Gegenwärtigkeit des jenseitigen Gottes in der Geschichte, in Jesus Christus – und um die nicht ausweisbare Verkündigung der Kirche, daß in dem Tode dieses Jesus von Nazareth das

---

[25] H.-G. Gadamer, Wahrheit und Methode, Tübingen 1976[5]; ders., Martin Heidegger und die Marburger Theologie, in: Zeit und Geschichte. Festschrift R. Bultmann, hg. E. Dinkler, Tübingen 1964, S. 479 ff., und in: Kleine Schriften I, Tübingen 1967, S. 82 ff.

[25a] Vgl. oben Anm. 23.

Leben aufgebrochen, in seiner Kreuzigung das Heil der Welt angeboten ist. Diese Mitte des Glaubens ist so sehr an das Wort der Verkündigung und Anrede gebunden, daß Bultmann die Kreuzigung nur widerstrebend als Thema der darstellenden Kunst sah. Dem Isenheimer Altar von Matthias Grünewald ließ er den kunsthistorischen Wert, doch hatte er keinen eigenen Zugang zum dogmatisch überladenen und heilsgeschichtlich konzipierten Werk, das ihm vielmehr Ausdruck unangemessener Realistik und einer Objektivierung der Glaubensmitte war[26]. Die Wahrheitsfrage stand immer unter der Signatur tua res agitur. Ob sich Bultmann mit dem alttestamentlichen Erbe oder mit dem Judentum befaßte, mit dem hellenischen Erbe oder dem Hellenismus und hier mit Stoa und Gnosis, seine entscheidende Frage richtet sich nicht auf Rekonstruktion oder Deduktion, sondern auf das sich in den Texten niederschlagende Selbstverständnis des Menschen und die sich darin für uns Lesende und Hörende öffnenden Möglichkeiten. Ob es sich um die griechischen Autoren oder die deutschen Klassiker handelt, um Carl Spitteler, Rilke, George

---

[26] Gemeinsamer Besuch in Colmar, 1957. – In einem Brief an von Soden vom 13. 4. 26 schreibt Bultmann von den Konzerten und Opernbesuchen in Wiesbaden, wo er zur Kur weilte. Er bemerkt: „Die Musik, die nichts sein will als Musik, ist doch das Erfreulichste, wie ich denn immer mehr dazu komme, die sog. Kulturbedeutung der Kunst für ein Mißverständnis bzw. ihre Pflege im Kulturinteresse für einen Mißbrauch anzusehen. Die Kunst ist dazu da, Freude zu machen, und es ist ein Irrweg, dem ‚Volk' oder den ‚Massen' Kunstgenüsse zu bieten und sie zur Kunst zu ‚erziehen'." – Die Verquickung von Kunst und christlicher Botschaft – selbst in Bachs Matthäuspassion – war Bultmann problematisch. – Daß anderseits die Kunst, besonders als Musik, im Hause Bultmann eine vorrangige Rolle spielte, ergab sich durch Frau Bultmann und die Töchter, zuletzt auch die Enkelkinder, von selbst. Ein Spezialverhältnis hatte Bultmann – ebenso wie Karl Barth – zu Mozart; so auch M. Niemöller. Gibt es vielleicht doch eine Relation Theologie–Musik?

oder um die amerikanischen Romane der Vor- und der Nachkriegszeit: Melvilles „Moby Dick“ oder Thornton Wilders „Iden des März“ oder „Der achte Tag“ – Bultmann las als fragend Beteiligter, auf die Möglichkeit neuen Daseinsverständnisses achtend und horchend.

Antike und Christentum sind bei dem Dialog mit Geschichte und Gegenwart die beiden Pole von Bultmanns Denken, deren Gegenüber und prinzipielle Spannung er in den verschiedensten Fragestellungen reflektiert[27]. Mit den Griechen

[27] Zu den besonderen Forderungen Bultmanns gehörte die Vertrautheit mit dem Griechischen Text des Neuen Testaments. In einem von der Theologischen Fakultät Halle Herbst 1944 erbetenen Beitrag Bultmanns „Zur Frage der wissenschaftlichen Ausbildung der Theologen“ (vgl. das Verzeichnis der „Veröffentlichungen von Rudolf Bultmann“, in seinen: Exegetica, hg. E. Dinkler, Tübingen 1967, S. 497 unter „1944“), in dem das Kriegsende und die Not der aus dem Felde Heimkehrenden anvisiert ist, heißt es, daß man natürlich den Studienweg in jeder verantwortlichen Weise erleichtern wolle. „Aber der gute Wille hat seine gebieterische Grenze an den sachlichen Notwendigkeiten.“ – „Zur wissenschaftlichen Erforschung der Schrift gehört als Erstes das Studium der Sprachen, in denen die Schrift geschrieben ist, des Hebräischen und des Griechischen. ... Es versteht sich ja von selbst, daß nur der ein begründetes Urteil über den Sinn eines Textes haben kann, der seine Sprache versteht. Und man muß sich klar machen, daß der Text der Bibel (wie jeder andere fremdsprachige Text) nie endgültig, definitiv, übersetzt werden kann, sondern stets neuer Übersetzung bedarf. Das liegt einmal daran, daß unsere Kenntnis der biblischen Sprachen, des Hebräischen und des Griechischen, ständig erweitert und verfeinert wird. ... Es liegt ferner daran, daß die eigene Sprache, in die der Text übertragen wird, auch ihre Geschichte hat, sich wandelt. Eine Übersetzung, die für ihre Zeit angemessen ist, bedarf nach dem Verlauf einiger Zeit selbst wieder der Erklärung, wie z. B. die stets von Zeit zu Zeit notwendig werdenden Revisionen der Lutherischen Übersetzung zeigen. Und solche Revisionen können sich ja nur auf neues selbständiges Studium der Sprachen gründen. ... In der Tat: – die Auslegung der Schrift erfordert Arbeit, und nicht außerhalb ihrer, sondern in ihr wirkt der Heilige Geist. Was aber in

wußte er um sein Gliedsein im Gefüge des Kosmos, um sein eigentliches Wesen als Geist. Mit der jüdisch-christlichen Tradition erkannte er sein Stehen in der Geschichte, für die er die Verantwortung als Einzelner mitträgt, in der er Entscheidungen fällen und mit dem Willen durchhalten muß. Natürlich wußte Bultmann um die geschichtliche Selbständigkeit der griechisch-römischen Antike, daß sie zwar auch im hellenisierten Christentum, vor allem aber neben dem Christentum erhalten blieb, so daß beide in ihrer jeweils eigenen Tradition uns prägen und fordern, jedenfalls in dem von uns „Abendland" genannten Geschichts- und Kulturraum. Auch wenn wir uns für den Glauben an Christus entschieden haben, so geht doch das seit den Griechen nach der ἀρχή fragende wissenschaftliche Denken mit uns, als Versuch der Weltorientierung wie auch der Weltbemächtigung und auch Weltverantwortung, darin unsere rationale Menschlichkeit konstituierend. Als Bultmann 1946 vom Planungsausschuß der Philippsuniversität um ein Gutachten für den Neuaufbau der Univer-

---

der Einrede gegen die wissenschaftliche Erforschung der Schrift Richtiges steckt, ist dieses: man kann die Schrift nicht verstehen und erklären, wenn man kein inneres Verhältnis zu der Sache hat, um die es geht. So muß auch in der wissenschaftlichen Erklärung der Schrift das Verhältnis zur Sache lebendig sein. ... Wer nicht die wissenschaftliche Ausbildung zur Erklärung (sc. des biblischen Textes) hat, dem hilft das Verhältnis zur Sache gar nichts, so wenig ich einen Menschen, der eine fremde Sprache spricht, verstehen kann, auch wenn er von einer Sache redet, die ihm und mir brennend am Herzen liegt. Die methodische wissenschaftliche Erforschung der Schrift steht also nicht im Gegensatz zu einer Erfassung des Geistes der Schrift mit dem Herzen, sondern sie steht in ihrem Dienst. Dieser Dienst aber ist ein unentbehrlicher; die wissenschaftliche Schrifterklärung ist nicht der schöpferische Ursprung eines gläubigen Verständnisses der Schrift, aber sie ist die conditio sine qua non, da nun einmal das Zeugnis der Offenbarung Gottes ein historisches Dokument ist. Und in der praktischen Auslegung der Schrift für die Gemeinde wird sich derjenige als der Überlegene ersität gebeten wurde, ging er in seinen Vorschlägen so weit[28], daß er in der Erforschung des Christentums *und* der Antike

---

weisen, der die wissenschaftliche Arbeit mit dem größten Ernst und mit der peinlichsten Gewissenhaftigkeit getrieben hat – nein! nicht getrieben *hat,* sondern immer weiter treibt." Vgl. auch „Das Problem der Hermeneutik", Zeitschrift für Theologie und Kirche 47, 1950, S. 47–69, abgedruckt in: Glauben und Verstehen II, S. 211–235.

[28] „Das Verhältnis der Universität zu Antike und Christentum", in: Berichte des Planungs-Ausschusses der Philipps-Universität Marburg zur Neugestaltung der deutschen Hochschulen, 1946, S. 20–27. – Der erste Absatz lautet: „Die Frage nach dem *Verhältnis der Universität zu Antike und Christentum* fällt weithin zusammen mit der Frage nach der *Einheit der Universität.* Ist unsere Universität nur eine Sammelstätte für alle möglichen Einzelwissenschaften, oder ist sie eine wirkliche „Universitas", eine Einheit, deren Teile – die Einzelwissenschaften – als die Glieder eines Organismus zusammengehören?" – Im Schlußabschnitt VII (S. 27) heißt es: „Aus dem Vorangehenden ergeben sich einige *praktische Folgerungen:*

1. Die Pflege der antiken Tradition gehört zu den wesentlichen Aufgaben der Universität.

2. Deshalb ist eine humanistische Vorbildung der Studierenden dringend erwünscht und damit auch, daß der Besuch des humanistischen Gymnasiums wieder in umfassenderem Maße zur Bedingung, oder soweit das nicht möglich ist, zur natürlich gegebenen Voraussetzung des Universitäts-Studiums gemacht wird.

3. An der Universität sollen in größerem Umfang als bisher für *Hörer aller Fakultäten öffentliche Vorlesungen gehalten* werden zur Einführung in die antike Geisteswelt und zur Weiterbildung in ihr. Ebenso aber auch öffentliche Vorlesungen in den anderen Fächern, nicht nur etwa, weil, wer z. B. Platon interpretieren will, etwas von den Prinzipien der Mathematik und Physik verstehen muß, sondern auch, weil die Diskussion zur humanistischen Bildung gehört. Die Universität sollte aber auch öffentliche Vorträge veranstalten, durch welche die Bildungswerte der Antike einer größeren Hörerschaft vermittelt werden.

die beiden Pfeiler der organischen Einheit einer wirklichen universitas vorstellte und deren Aufgaben entfaltete. Die Einheit bestehe gewiß nicht in einem einheitlichen Erkenntnisgrund, sei es ein Weltgrund oder Gott, sondern sie bestehe in der gleichen von den Griechen übernommenen – im Wesen säkularen – Methode der Wissenschaft, im Begründen des Erkannten, dem λόγον διδόναι und dem διαλέγεσθαι als dem gemeinsamen Wahrheitssuchen. „Die Erkenntnis des Ganzen kann immer nur im Einzelnen gefunden werden und eben deshalb ist der Prozeß des Forschens nie abgeschlossen."

Doch ist diese erkenntnistheoretische Unabgeschlossenheit jedes Forschungsprozesses etwas anderes als die in unserem Thema anvisierte Unabgeschlossenheit der Theologie. Liegt sie bei der Natur- und Geschichtswissenschaft jeweils an der noch nicht vollständigen Erfaßbarkeit des Forschungsobjektes, an den noch nicht differenziert genug arbeitenden Forschungsmitteln oder einfach an fehlenden Quellen, so in der Theologie am erkennenden Subjekt. Der theologisch Denkende muß sich in der offenen Frage halten, weil er Aussagen nur machen kann „in dem Wissen um die Fraglichkeit alles menschlichen Selbstverständnisses und im Wissen, daß existentielles Selbstverständnis ... nur im Vollzug der Existenz und nicht in der isolierten denkenden Reflexion wirklich ist"[29].

---

4. Zur Vollständigkeit der Universität gehört die theologische Fakultät.

5. Die Vertrautheit mit der christlichen Tradition gehört zu den Voraussetzungen des Studiums. An den höheren Schulen sollte deshalb Unterricht in der christlichen Religion, der nicht notwendig kirchlicher Unterricht zu sein braucht, erteilt werden.

6. An der Universität sollten öffentliche Vorlesungen für Hörer aller Fakultäten auch von der theologischen Fakultät gelesen werden. Ebenso sind unter die öffentlichen Vorträge, die die Universität für eine weitere Hörerschaft veranstaltet, solche über theologische Themata aufzunehmen."

[29] Theologie des Neuen Testaments, Tübingen 1965[5], S. 589. –

Der Theologe verfügt also nicht über seinen Glauben. Die Unabgeschlossenheit der Theologie als Wissenschaft beruht auf der Unverfügbarkeit des Glaubens.

Das Denken des Theologen Bultmann zielt eigentlich immer auf die Zukunft als einen nie zeit- oder geschichtslosen Zustand. Die Gnade ist das ständige Voraussein Gottes, wohin auch der Mensch kommt. Die Aussage des Paulus, daß Glaube, Liebe, Hoffnung bleiben, wenn das Vollkommene sein wird, ist für Bultmann Ausdruck der Hoffnung auf eine offene Zukunft ohne Ende[30].

Es ist ein Wesenszug Bultmanns gewesen, der auch ein Grund seines ungewöhnlichen Lehrerfolgs war, daß er Glauben, Denken und Existieren zur Deckung zu bringen sich mühte. Die Freiheit verstand er als Teil seines Glaubens. Ein

---

Vgl. auch ebenda, S. 586: „Theologische Sätze – auch die des NT – können nie Gegenstand des Glaubens sein, sondern nur Explikation des in ihm selbst angelegten Verstehens. Als solche sind sie situationsbedingt und daher notwendig unvollständig. Diese Unvollständigkeit ist jedoch kein Mangel, dem dadurch abgeholfen werden müßte, daß jeweils eine folgende Generation zu ergänzen hätte, was noch fehlte, so daß durch immer getriebene Summierung schließlich eine vollständige Dogmatik zustande käme. Vielmehr ist die Unvollständigkeit begründet in der Unerschöpflichkeit des glaubenden Verstehens, das sich jeweils neu aktualisieren muß; sie bedeutet also Aufgabe und Verheißung." – In der Vorlesung „Enzyklopädie der Theologie" heißt es Bl. 165: „Theologie ist also rationale Arbeit, Arbeit des λόγος unter Voraussetzung des Glaubens, des πνεῦμα. Dies gibt Gott, der λόγος ist unsere Sache. Der λόγος macht es nicht *allein*, und *den Christen* macht er überhaupt nicht, aber den *Theologen*. Und die Abwesenheit des λόγος ist für keinen der Beweis für die Anwesenheit des πνεῦμα." Nachträgliche Randnotiz: „Synergismus? – ja, wenn es hieße, daß der λόγος den Glauben konstituiere, aber vielmehr konstituiert der Glaube den λόγος. Theologie: das Ergreifen des λόγος."

[30] Vgl. „Das Urchristentum im Rahmen der antiken Religionen", Zürich 1949, S. 208.

Ausdruck von Glauben und Freiheit war der ihm eigene Humor[31].

Bultmanns wissenschaftliches Werk war für zwei Generationen von Theologen eine Brücke zu neuen Ufern. Man wird auch in Zukunft niemals an dieser Brücke vorbei vorwärtskommen. Aber man wird – wegen der Unabgeschlossenheit der Theologie – auch nicht auf ihr stehenbleiben dürfen[32], sondern auf ihr weiterschreiten müssen. Wir danken Rudolf Bultmann, unserem Lehrer, indem wir uns bemühen, seine Arbeit redlich weiterzuführen.

---

[31] Vgl. die Notiz bei H.-G. Gadamer, Philosophische Lehrjahre, Frankfurt 1976, S. 38 f. und E. Dinkler, R. Bultmann als Lehrer und Mensch, Kirche in der Zeit 14, 1959, S. 257–261.

[32] In Analogie zu einem indischen „Agraphon" formuliert; vgl. Hennecke-Schneemelcher, Neutestamentliche Apokryphen I, Tübingen 1959, S. 55, dort von J. Jeremias anhangsweise verzeichnet.

Im Kampf um die Möglichkeit des Glaubens

Erinnerungen an Rudolf Bultmann und Betrachtungen zum philosophischen Aspekt seines Werkes[1]

von

Hans Jonas

Die Würdigung eines Denkers sollte vielleicht den Mann von dem Werke trennen und sich nur auf das Gedachte seines Denkens beschränken. Im Falle Rudolf Bultmanns ist *mir* dies nicht möglich – aus persönlich übermächtigen Gründen und auch aus der sachlichen Überzeugung, daß dies zu Wesentliches und zu Kostbares auslassen würde. Bultmann lebte, was er dachte, dachte auch so, daß dies zu-Leben des Gedachten als dessen eigenster Sinn hervortrat. Vor allem steht die Tatsache, daß ich ihn gekannt habe, daß er mir Lehrer und Freund war in bewegender, mein Leben mit einem stillen Licht durchstrahlender Bedeutsamkeit. So muß ich denn auch von mir sprechen, wenn ich von Bultmann sprechen soll, um von dem Manne Zeugnis geben zu können.

Unsere Beziehung begann 1924, als ich Heidegger folgend von Freiburg nach Marburg kam und in Bultmanns neutestamentliches Seminar eintrat – im Zuge des eigentümlichen Austauschverhältnisses, das sich zwischen den Schülern Heideggers und Bultmanns damals herstellte, aber auch im Zuge meines ursprünglichen, mit dem philosophischen einhergehenden Anliegens am Reiche der Religion, das sich bis dahin, meiner Herkunft gemäß, in alttestamentlichen und judaistischen Studien betätigt hatte. Noch ein anderer solcher Fremd-

[1] Der folgende Aufsatz wurde auf der Gedenkfeier am 16. 11. 1976 nur teilweise vorgetragen.

ling trat gleichzeitig dem Seminar bei, die jüngere Hannah Arendt, Jüdin und Philosophiestudentin auch sie, durch derart mit mir geteilte Sonderstellung ein fast natürliches Bündnis zwischen uns bildend. So wurde dies erste Seminar, dem viele folgten, für mich der Beginn von zwei lebenslangen Freundschaften, beide jetzt durch den Tod der beiden geendet in schneller Folge, in die auch der Tod Martin Heideggers fiel. So steht denn meine Ansprache hier sehr eindringlich im Zeichen des memento mori – eine zusätzliche Entschuldigung für die persönliche Note, die nur aus einem sterblichen Munde ertönen kann, solange noch Zeit ist.

Rudolf Bultmann erschloß mir das Neue Testament; was ich davon weiß und als Nichtchrist vielleicht verstehe, geht irgendwie auf ihn zurück. (Allerdings fiel meine Wahl auf Paulus gegenüber Johannes, seiner vorzüglichen Liebe.) Was hieß hier lernen? Die protestantische Freiheit galt auch im Lehrverhältnis: Er bestand auf Verstehen, aber nicht auf Übereinstimmung. Es ging gründlich zu, aber niemals apodiktisch. Im Gespräch war Erwägen der Stil, nicht Behaupten. Überhaupt war jede ex cathedra-Manier ihm fremd und er drängte wie selbstverständlich auf Ebenbürtigkeit der Partner, wie es nur große innere Sicherheit vermag und nur im Verein mit Demut auch tut. Unbesonnenes Gerede, im voraus beschämt, kam vor solcher Ehrung und dem ständigen Beispiel der Besonnenheit nicht auf. Und kein Feuerwerk des eristischen Arguments. So lernte man das Neue Testament interpretieren als wagend-erprobenden Versuch, dem Gelehrsamkeit die Beglaubigung, aber nicht schon das Gelingen verleiht. Eine unvergeßliche Schule fragenden Denkens.

Mit dem Neuen Testament lernte ich durch Bultmann auch dessen geistige Umwelt kennen, die Geschichtsbühne des Urchristentums, und damit das Thema, das mich so lange in Bann halten sollte. Welche Zufälle des Lebens, die Schicksal werden! Es war die Episode eines (unmäßig langen) Seminarreferats über „Gotteserkenntnis" im Johannesevangelium und Bultmanns lebhafte Ermunterung, dies weiter zu verfolgen, die mich Ahnungslosen in den Irrgarten der Gnosis führten – zuerst als Dissertationsthema, dem Heidegger auf Bultmanns Fürsprache zustimmte, dann als nicht enden wollendes Forschungsprojekt für manches kommende Jahrzehnt. Es war Bultmann auch, der umgekehrt ein bei Heidegger gehaltenes Referat über die Willensfreiheit bei Augustin als meine erste Veröffentlichung in seine Forschungsreihe aufnahm; und wiederum er, der den durch eine vernichtende Rezension dieser Erstlingsschrift begreiflich kopfscheu gewordenen Verleger an der Abmachung über die Veröffentlichung des kommenden Gnosiswerkes festhielt, unter Androhung seines Rücktritts als Herausgeber, wenn man seinem Urteil nicht traue. Und nochmals Bultmann, der im Jahre 1934 – man beachte das Datum – dem Werke des eben emigrierten jüdischen Autors jenes großherzige und mutige Vorwort beigab, das die Art des Mannes in dunkler Zeit hervorscheinen ließ.

Hier ist denn der Punkt, wo ich vom Lehrer und gütigen Förderer zum Manne selbst übergehe, wie ich ihn erfahren habe in der ruhigen und unerschütterlichen Lauterkeit seines Wesens. Zwei persönliche Episoden mögen für eine objektive Schilderung stehen. Bultmann war der einzige meiner akademischen Lehrer, den ich vor meiner Auswanderung noch einmal zum Abschied besuchte. Es war im Sommer 1933, hier in Marburg, wir saßen um den Mittagstisch mit seiner holden, so gefühlsreichen Frau und den drei Töchtern im Schulmädchenalter, und ich erzählte, was ich soeben in der Zeitung gelesen hatte, er aber noch nicht, daß nämlich der Deutsche Blindenverein den Ausschluß seiner jüdischen Mitglieder beschlossen habe. Von meinem Entsetzen ließ ich mich zur Beredsamkeit hinreißen: Angesichts der ewigen Nacht (so rief ich aus), des Einendsten, was es unter geschlagenen Menschen geben kann, dieser Verrat an der Solidarität des gemeinsamen

Loses ...! – und stockte, denn mein Auge fiel auf Bultmann und ich sah, daß eine tödliche Blässe sein Gesicht überzogen hatte, und in seinen Augen eine solche Pein, daß mir das Wort im Munde erstarb. In dem Augenblick wußte ich, daß man sich im grundlegend Menschlichen einfach auf Bultmann verlassen kann, daß hier Worte, Erklärungen, Argumente, vor allem Rhetorik ganz abwegig sind, daß kein Unsinn der Zeit der Stetigkeit seines inneren Lichtes etwas anhaben kann. Er selbst hatte kein Wort gesprochen. Für mich gehörte das seitdem zum Bilde des innen bewegten aber nach außen so ganz unpathetischen Mannes. (Es war gewiß nicht Verwandtschaft der Temperamente, die mich dem verhaltenen und mit Worten so zurückhaltenden, fast kühl erscheinenden Oldenburger so innig – und mit Gegenseitigkeit – verband.)

Wie der einzige, von dem ich mich verabschiedete, war er auch der erste, den ich genau zwölf Jahre später im verwüsteten Deutschland des Sommers 1945 wieder aufsuchte, nachdem wir viele Jahre nichts voneinander gehört hatten. Dies ist die zweite Episode, von der ich erzählen will, und sie gehört zu den unvergeßlichsten meines Lebens. Von Frau Bultmann, die einige Sekunden gebraucht hatte, bevor sie den Fremden in britischer Uniform an der Haustür erkannte und dann in eine Sturzflut von Worten und Tränen ausbrach, wurde ich mit den Worten „Rudolf, du hast Besuch“ ins Studierzimmer geführt. Dort saß er, wie immer am Schreibtisch, bleich und abgezehrt, Kragen und Kleider zu weit geworden, aber mit friedevollem Gesicht. In augenblicklichem Erkennen eilte er mir in die Mitte des Zimmers entgegen. Und dort, kaum fertig mit dem hastigen Austausch erster Begrüßungen, kaum hinweg über die Erschütterung des unerwarteten Wiedersehens – wir beide noch stehend –, sagte er etwas, wegen dessen ich diese hochpersönliche Geschichte erzähle. Ich war von Göttingen gekommen und hielt ein Buch unterm Arm, das mir der Verleger Ruprecht, da es noch keinen zivilen Postverkehr gab, für Bultmann mitgegeben hatte. Auf dieses wies er und fragte: „Darf ich hoffen, daß dies der zweite Band der Gnosis ist?" Da zog auch in meine Seele, noch zerrissen von dem Unsagbaren, das ich eben erst in meiner Heimat erfahren hatte – das Schicksal meiner Mutter und der zahllosen anderen – zum ersten Male wieder so etwas wie Frieden ein: vor der Beständigkeit des Gedankens und des liebenden Interesses über den Zusammensturz einer Welt hinweg. Ich wußte plötzlich, daß man wiederaufnehmen und fortfahren kann mit dem, wozu ein Glaube an den Menschen nötig ist. Unzählige Male habe ich diese Szene neu durchlebt, sie wurde die Brükke über den Abgrund, sie verband das Nachher mit dem Vorher, das Gram und Zorn und Bitterkeit auszulöschen drohten, und vielleicht mehr als alles andere half es, mit der einzigartigen Verbindung von Treue und Nüchternheit, mein Leben wieder heil zu machen. Doch hiermit genug vom Persönlichen.

Wenn ich mich jetzt dem Werke Rudolf Bultmanns mit einigen eigenen Bemerkungen zuwende[2], so ist ihr Gegenstand mindestens negativ dadurch bestimmt, daß ich hinsichtlich des spezifisch Christlichen in Bultmanns theologischen Bemühungen ein Außenseiter bin, ein doppelter sogar, nämlich weder Christ noch Theologe, und daher sowohl unbefugt wie ungeneigt, mich in innerchristliche Glaubensdinge einzumischen. Aber es gibt philosophische Aspekte in seinem (vielleicht in jedem) theologischen Denken, die als solche jedermanns Sache sind. Philosophisch ist zweierlei in Bultmanns

---

[2] Alle Zitate im folgenden sind seinen unter dem Titel „Glauben und Verstehen" veröffentlichten „Gesammelten Aufsätzen", Tübingen I, 1933 (1972^{7}); II 1952 (1968^{5}); III 1960 (1965^{3}); IV 1965 (1975^{3}) entnommen. Die römischen und arabischen Ziffern nach jedem Zitat geben Band und Seite, ohne Nennung des jeweiligen Aufsatzes, an.

Werk: die Theorie der Interpretation und das Verhältnis zur modernen Wissenschaft. Beide treffen sich im Begriff der „Entmythologisierung“, denn diese dient gleichzeitig den zwei ganz verschiedenen, obschon einander ergänzenden Interessen: den Text freizumachen für die wahre, nämlich existentiale Interpretation; und die Hindernisse für den Glauben hinwegzuräumen, die durch den Widerspruch des mythologischen mit dem modernen Weltbild erzeugt werden. „Mythologie“ ist in beiden Fällen ein Hindernis, und Bultmann legt Wert darauf, daß es nicht nur die Bedrängnis durch die moderne Wissenschaft und das von ihr genötigte Denk-Gewissen ist, was sein Anliegen der Entmythologisierung antreibt, sondern unabhängig davon auch die Wahrheit der Glaubenssache selbst, die durch ihre mitgebrachte Mythologie verdunkelt wird. Im ersteren Sinne geht es um die Rettung der Möglichkeit des Glaubens, im letzteren um die Gewinnung seines echten Inhalts. Dort ist das Interesse defensiv, hier ist es offensiv. Natürlich hängt beides zusammen, der erste Zweck wird durch den zweiten erreicht, und dem zweiten wird durch den ersten der Weg geöffnet[3]. Ja, man könnte sagen: Wenn wir die mythologischen Texte schon richtig zu lesen verstünden, wie sie immer gelesen werden wollten, dann wäre die sozusagen von außen, durch den Konflikt mit der Wissenschaft erzwungene Entmythologisierung gar nicht erst nötig. Aber die Erzwingung ist doch eine geschichtliche Tatsache, sogar mit ursächlicher Priorität (selbst wenn sie sich schließlich nur als Mittel zum *eigentlichen* Zweck herausstellen sollte), und die Fragerichtungen der beiden Zwecke sind verschieden. Im einen Sinne lautet nach Bultmann „die entscheidende Frage für die Entmythologisierung: Ist dieses Verständnis von Jesus

---

[3] Der Zusammenhang der beiden Zwecke ist z. B. so ausgedrückt: Die Entmythologisierung „entfernt einen falschen Anstoß und bringt dafür den echten Anstoß in den Blickpunkt, nämlich das Wort vom Kreuz“ (IV 157).

Christus als des eschatologischen Ereignisses unlösbar mit den Vorstellungen der kosmischen Eschatologie verbunden?" (IV 186), d. h. *läßt* es sich von diesem Anstoß für das moderne Denken lösen, so daß es diesem nicht zuwiderläuft? Im andern Sinne dagegen lautet die Frage: *Soll* es von jenen Vorstellungen gelöst werden um seiner selbst willen? Ist die mythologische Redeweise überhaupt legitim hinsichtlich dessen, *was* mit ihr gesagt werden sollte? Hier lautet Bultmanns Antwort bekanntlich: „Der Mythos objektiviert das Jenseitige zum Diesseitgen" (IV 146). Daher: „Entmythologisierung macht ... erst die wahre Bedeutung von Gottes Geheimnis deutlich" (IV 162), sie will gegenüber der Objektivierung des Jenseits zum Diesseits „die eigentliche Intention des Mythos zur Geltung bringen" (IV 134). Ja, Bultmann findet, daß „die Entmythologisierung ihren Anfang im Neuen Testament selber hat", nämlich bei Paulus und dann radikal bei Johannes, „und deshalb ist unsere Aufgabe, heute zu entmythologisieren, gerechtfertigt" (IV 156, s. auch III 89 f.) – d. h. wir führen nur fort, was das Neue Testament selber begann, und sollten es tun, selbst wenn wir nicht vom modernen Denken dazu gepreßt würden (obwohl auch damals ein äußerer Grund im Ausbleiben der Parusie vorlag). Das religiös Autonome des Zweckes wird betont in dem Satz „der Glaube selbst verlangt, von *allen* Weltanschauungen befreit zu werden ... seien sie mythologisch oder naturwissenschaftlich" (IV 187)[4]. Die wohl stärkste Aussage aber ist die: „Entmythologisierung (ist) die radikale Anwendung der Lehre von der Rechtfertigung durch den Glauben auf das Gebiet des Wissens und Denkens" (IV 188) – also aus dem Zentrum christlicher Lehre selber geboten, eine Weise ihrer Befolgung und daher wesentlich mehr als nur Mittel zum Zweck. Hierzu sich zu äußern ist Sache des christlichen Theologen; aber das Argument, das diesem Schritt in die christliche Substanz vorausliegt, ist allgemeiner

[4] Sperrung von mir.

Beurteilung offen. Füllen wir es noch ein wenig aus.

Zugrunde liegt eine Auffassung vom Mythologischen überhaupt, nämlich „daß der Mythos zwar von einer Wirklichkeit redet, aber in einer nicht adäquaten Weise“ (IV 128), d. h. er offenbart und verfälscht zur gleichen Zeit und sein wahrer Sinn muß ihm durch Interpretation abgewonnen werden. Dieser wahre Sinn, seine eigentliche Intention im Falle der Bibel jedenfalls, ist, „von der eigentlichen Wirklichkeit des Menschen zu reden“ (IV 134), er ist „Ausdruck eines bestimmten Verständnisses der menschlichen Existenz“ (IV 146), ein Ausdruck, dessen Sprache „metaphorisch“ und „bildhaft“ ist (IV 147/8; S. 135 ist von „analogischer Redeweise“ die Rede). Wir hörten schon, daß das allgemeine Prinzip dieser Metaphorik die *Objektivierung* ist, und sein allgemeiner Effekt eben damit die Verdiesseitigung des Jenseitigen. Dies also ist die Verfälschung, und die Deutung wird insofern Berichtigung: Um den wahren Sinn freizulegen, muß sie hinter jenes Ausdrucksprinzip zurückgehen, seinen Effekt sozusagen rückgängig machen — d. h. sie muß ent-mythologisieren. So ist denn Entmythologisierung eine „Deutungsmethode“ (IV 146), „ein hermeneutisches Verfahren, das mythologische Aussagen ... nach ihrem Wirklichkeitsgehalt befragt“ (IV 128) — eben dem die Existenz betreffenden. An sich ist dies nicht notwendig ein theologisches Unternehmen, und Bultmann sagt denn auch, „philosophische und theologische Reflexion“ habe „die Aufgabe, diesen Sinngehalt deutlich zu machen“ (IV 134). „Deutlich machen“ heißt dann aber: in eine andere und angemessenere Sprache übersetzen — wobei vorausgesetzt ist, daß sich dasselbe auch anders sagen läßt, ohne selber wiederum in Mythologie und Metaphorik zu verfallen, also direkt und existenzadäquat. Hiervon war Bultmann in der Tat überzeugt und wurde nicht müde, die Möglichkeit sowohl wie die Notwendigkeit zu betonen. „Ihr Sinn“, so sagt er von den Symbolen oder Bildern, d. h. *was* durch sie ausgedrückt wird,

„kann und muß ohne Zurückgreifen auf mythologische Termini gesagt werden" (IV 177). Dies hat manchmal fast den Rang eines logischen Postulats mit der einzigen Alternative der Vergeblichkeit, so wenn er sagt: „Dieser (Sinngehalt, den die philosophische und theologische Reflexion deutlich machen soll) kann dann aber doch nicht wiederum in mythologischer Sprache ausgedrückt werden: denn sonst müßte ja deren Sinn wiederum gedeutet werden – und so in infinitum" (IV 134/5). Und warum nicht?, so möchte man fragen: Würde ein unvermeidbares in infinitum wirklich das Interpretieren vergeblich machen? Es könnte ja sein, daß der Weg immer nur von Metapher zu Metapher führt, von abgenutzter, nicht mehr zeitgemäßer zu frischer, uns neu ansprechender, da das Eigentliche, Unsagbare vielleicht gar nicht anders als derart indirekt gesagt werden kann. Das würde dann auch für die Philosophie gelten, die hier der Theologie zu Hilfe kommen soll. Das ist keine sehr abseitige Ansicht. Hannah Arendt z. B. hielt dafür, daß die Metaphern als Versinnlichung des Unsichtbaren, als Gleichnisse für das sinnlich Unfaßbare, ganz unausrottbar und in den höchsten Fällen so etwas wie der Dialekt der Ewigkeit sind[5]. Das bezog sich auf die Dichtung, wurde aber in ihrem nachgelassenen (noch unveröffentlichten) Werk über „Das Leben des Geistes" sehr entschieden auf die Philosophie ausgedehnt: Auch deren Sprache ist metaphorisch – „alle philosophischen Ausdrücke sind Metaphern, gefrorene Analogien sozusagen" – und besonders in aller großen Metaphysik, die deshalb auch immer scheitert, wenn man sie wörtlich nimmt. Wie dem auch sei im allgemeinen, bestimmt trifft es zu auf Martin Heidegger, dessen philosophische Sprache gesättigt ist mit metaphorischer Anschaulichkeit und manchmal geradezu ans „Mythologische" streift.

---

[5] Siehe Erich Heller, Hannah Arendt und die Literatur, Merkur 30, 1976, 10, S. 999 f., und für das Folgende Hans Jonas, ebenda, S. 933.

Aber natürlich ist wirklicher Mythos noch etwas anderes als metaphorische Sprache, und was Bultmann zu bewältigen hatte, war das massiv und nicht nur semantisch Mythologische biblischer Eschatologie mit ihrer betäubenden Zumutung an die Vernunft. Sich da an die Philosophie um begriffliche Mittel der Auslegung zu wenden, ist so berechtigt und so riskant wie es von jeher für die Theologie war, die hierin ja auf eine lange und wechselvolle Geschichte (beginnend mit Philo und den Kirchenvätern) zurückblicken kann. Das Novum bei Bultmann ist der Entschluß, als das Grundthema des interpretandum die menschliche Existenz anzusehen, weshalb es eine Philosophie der Existenz sein muß, die den Schlüssel für die Interpretation liefern soll. Es ist dies der Punkt, wo Bultmann selber von Philosophie expressis verbis spricht und damit die weitergemeinte Rede vom „philosophischen Aspekt seines Werkes" in wenigstens diesem einen Punkt unmittelbar legitimiert. Hören wir ihn selber. „Wenn ... die richtigen Fragen um die Möglichkeiten des Verständnisses menschlicher Existenz gehen, dann müssen ... die angemessenen Vorstellungen entdeckt werden, durch die solches Verständnis ausgedrückt werden muß. Diese Vorstellungen zu finden, ist Aufgabe der Philosophie. ... In anderen Worten: Es erhebt sich die Frage nach der ‚richtigen' Philosophie" („richtig" steht in Gänsefüßchen, denn natürlich wußte Bultmann, daß es so etwas im endgültigen Sinne nicht gibt. Fahren wir fort mit dem Zitat). „Unsere Frage lautet einfach: Welche heutige Philosophie bietet die angemessenste Perspektive und die angemessensten Vorstellungen zum Verständnis der menschlichen Existenz?" (IV 169). Bultmanns Antwort ist bekannt: die Existenzphilosophie und besonders Heideggers *Sein und Zeit*. Hier lag eine Wahlverwandtschaft vor, eingetaucht in jenen Zirkel des Verstehens, der solchen Verhältnissen eigen ist: Die Wahl des philosophischen Werkzeuges war bestimmt durch die Auffassung der Sache, die es zu bearbeiten galt, und die

Auffassung der Sache durch den philosophischen Standpunkt, den das Werkzeug repräsentierte. Diese Zirkularität gegenseitiger Bekräftigung ist der unvermeidliche Zoll der Geschichtlichkeit – die Gleichzeitigkeit im Heute ist ein wesentliches Element bei der Überzeugungskraft des Gewählten – und das ist ganz in Ordnung. Zu fragen wäre natürlich immer noch nach der „Richtigkeit" jener Philosophie, der Bultmann sich hermeneutisch anvertraut hatte, aber das wäre ein zu weites Feld. Selbstverständlich ist, daß Bultmann selber die Geschichtlichkeit auch darin anerkannte, daß ihm das Nichtendgültige jeder solchen zeitlichen Richtigkeit und damit das Zeitliche der eigenen Interpretation als Station auf einem endlosen Wege bewußt war: aus diesem „in infinitum" auszubrechen lag ihm fern. Ein Preis war in jedem Fall zu zahlen; denn eine methodische Entscheidung öffnet nicht nur Wege, sondern verschließt auch andere. Das Ganze ist nie zu haben. Letztlich gilt hier: An den Früchten sollt ihr sie erkennen; und welches diese sind, das hängt mindestens so sehr von der Hand ab, die das Werkzeug handhabte, wie von der Beschaffenheit des Werkzeugs, das ihr zur Verfügung stand. Die Früchte natürlich muß der christliche Theologe beurteilen nach ihrem Wert für das Anliegen der christlichen Predigt, wie auch für den Seelenfrieden des von seiner Heutigkeit geplagten Predigers, und von daher wird er den Wert der existentialen Methode der Auslegung beurteilen. Dem Außenseiter steht nur an, zu bezeugen, daß mit all ihrer Problematik ihre Anwendung in Bultmanns reinem Ernst und vorbildlicher Selbstzucht Einsichten gezeitigt hat, die jedenfalls ich beim Verständnis dieser Texte nicht missen möchte.

Nun darf aber darüber nicht vergessen werden, daß die Entmythologisierung außer ihrer Funktion im Dienste der existentialen Hermeneutik *auch* eine *defensive* Komponente hat, bei der es nicht wie dort darum geht, den wahren Glaubens*inhalt* zu *gewinnen*, sondern darum, die *Möglichkeit* des

Glaubens überhaupt zu *retten*, und zwar vor seiner äußeren Bedrohung durch das moderne Denken: Diesem muß das Mythologische geopfert werden, da es als solches ihm unannehmbar geworden ist. Von daher betrachtet ist es fast eine glückliche Koinzidenz, daß dasjenige, was den Glauben nach außen vulnerabel macht, zugleich auch das ist, was dem richtigen Glaubensverständnis selber im Wege steht, und so die äußere Nötigung dem inneren Interesse zugute kommt – das anscheinende Opfer sich als Nutzen erweist. Es bleibe dahingestellt, wie weit hier aus der Not eine Tugend gemacht wird: Die Not jedenfalls ist unverkennbar und hat eine historische und psychologische Priorität, da die Bedrängnis der Religion durch den modernen Geist schon seit dessen Anfängen besteht. Da diese Frontrichtung der Entmythologisierung eine bestimmte Auffassung vom modernen Denken, seinem Recht, seiner Macht und seiner Verbindlichkeit enthält, liegt hier der *andere* „philosophische Aspekt“ von Bultmanns Werk, und über diesen will ich, nicht mehr gehemmt durch Außenseitertum, etwas mehr ins einzelne gehn.

Unleugbar ist seit der Aufklärung die Religion in der Defensive, psychologisch nicht weniger als intellektuell, und es ist die de facto Macht der geschichtlich gewordenen Denkgewohnheiten – es ist der von der Wissenschaft erzeugte *Glaube* fast mehr als das von ihr bewiesene Wissen, was den religiösen Glauben in Zwiespalt mit sich selbst gebracht hat. Hierauf beruft sich Bultmann oft als auf eine gegebene Tatsache, deren unbestrittene Herrschaft sie weiterer Nachfrage nach ihrer Beglaubigung enthebt. Es wird einfach festgestellt: „Diese mythologische Vorstellungsweise ist *dem modernen Menschen* fremd geworden“ (III 84); „Der Mensch von heute baut darauf, daß der Lauf der Natur und Geschichte, wie sein eigenes Innenleben und sein praktisches Leben, nirgends vom Einwirken übernatürlicher Kräfte durchbrochen wird“ (IV 144); „Niemand rechnet mit einem direkten Eingreifen transzendenter Mächte" (IV 157); „Für den Menschen von heute sind das mythologische Weltbild, die Vorstellung vom Ende, vom Erlöser und der Erlösung vergangen und erledigt" (IV 145). Und was hat zu dieser Geistesverfassung des modernen Menschen, die zunächst als nackte Tatsache festzustellen ist, geführt und legitimiert sie? Letzten Endes die moderne Wissenschaft, vor allem die Naturwissenschaft (einschließlich der von ihr geleiteten Technik) – also ausgewiesenes Wissen und keineswegs eine bloße Willenslaune oder Querköpfigkeit des modernen Menschen. Dennoch läßt sich fragen, ob Bultmann mit seiner totalen Einräumung des modernen Immanenzaxioms der Wissenschaft nicht etwas zu viel zugestanden hat. Das ist z. B. der Fall, wenn er schreibt „Jedenfalls glaubt die moderne Wissenschaft nicht, daß der Lauf der Natur von übernatürlichen Kräften durchbrochen werden kann" (IV 144) – soll heißen, sie glaubt, daß dies nicht geschehen kann. Über ein solches „kann" oder „nicht kann" spricht sich aber die Wissenschaft gar nicht aus. Viele Wissenschaftler haben wohl diesen Glauben von der Welt und auch manche Philosophien, so die Kants, wo eine Durchbrechung des Kausalzusammenhanges den Bedingungen a priori möglicher Erfahrung widerspricht, also erfahrungsunmöglich ist, oder die Philosophie Spinozas, wo sie dem Wesen göttlicher Notwendigkeit widerspricht. Aber die *Wissenschaft* sagt nur, daß man für jeden Vorgang so lange nach einer natürlichen Erklärung suchen soll, bis man sie gefunden hat – ohne doch den Naturgesetzen, denen die Erklärung gemäß sein soll, jene Unverbrüchlichkeit zuschreiben zu können, die nur logischen oder mathematischen Regeln eignet. Sie äußert also ein methodisches Gebot, nicht eine metaphysische Behauptung. Der überwältigende kumulative Erfolg im Befolgen jenes Gebots erstickt allerdings den Gedanken an mögliche Ausnahmen, aber der *Begriff* der Ausnahme widerstreitet dem Begriff von *Tatsachen*regeln keineswegs. Ihre apodiktische Ausschließung ist selber ein Glaube oder eine Metaphysik.

Doch diese objektive Überlegung hilft wenig; denn Bultmann hat natürlich recht damit, daß subjektiv eben dies der herrschende Glaube des „modernen Menschen" *einschließlich* des Theologen ist, und mit Recht stellt er an Karl Barth die Frage, in welchem Sinne er an ein Gebot der Wahrhaftigkeit appelliere, „das höherer oder anderer Art ist als *das* Gebot der Wahrhaftigkeit, welches gebietet, nichts für wahr zu halten, was im Widerspruch steht zu Wahrheiten, die die *faktische* Voraussetzung meines all mein Tun leitenden Weltverständnisses sind?" (II 235)[6]. Hinter der Entmythologisierung steht also das Gebot intellektueller Redlichkeit, die Bultmanns unbestechlichem Wesen so ungemein teuer war – ja, das Gebot der Selbsteinstimmigkeit der Person, letztlich ein sittliches Gebot, das dem Verstandesgebot noch vorgeordnet ist. Im übrigen muß auch der, welcher von der Naturnotwendigkeit eine philosophisch weniger harte Meinung hat, zugeben, daß es schlecht um die Sache der Religion stünde, wenn sie auf die gelegentliche Durchbrechung oder Störung der Weltordnung gegründet wäre. Die wirkliche Frage scheint mir, ob ein Eingreifen Gottes in den Wettlauf, von dem die Religion sprechen muß, nur als „Durchbrechung", „Durchlöcherung", „Zerreißung der Kausalkette" vorgestellt werden kann – also als plumpes Mirakel – und ob Bultmann mit der Wahl dieser gewaltsamen Ausdrücke nicht eine unnötig krasse Alternative aufgestellt hat. Sehen wir uns die Sachlage etwas näher an.

Die Anstößigkeit biblischer Mythologie für den modernen Menschen heftet sich an drei Punkte: das Weltbild, das Wunder, und das kausale Handeln Gottes überhaupt. Das *Weltbild* ist der klarste Fall und läßt eigentlich keine Diskussion zu. Seit Kopernikus *wissen* wir, und das mit immer zunehmender Sicherheit und Tragweite, daß es nach „oben" nicht in den

---

[6] Sperrung von mir.

Himmel, sondern in den endlosen leeren Weltraum geht, und *müssen* daher die Vorstellung der leiblichen Himmelfahrt aufgeben, da wir uns Elias, Jesus und Maria ja nicht als Astronauten vorstellen wollen. Generell, was die raumzeitliche *Form* des Universums betrifft, so hat die moderne Wissenschaft in der Tat – was immer Jaspers Gegenteiliges darüber an Bultmanns Adresse gerichtet hat – ein Weltbild hervorgebracht, ja mit unwidersprechlichen Beweisen dem Denken diktiert. Auch der trotzigste Glaube muß sich dem beugen.

Bei den *Wundern* dann ist zu unterscheiden zwischen solchen, die der Natur zuwiderlaufen, und solchen, die nur außerordentliche Ereignisse darstellen, bei denen das Wunderbare nicht so sehr in ihnen selbst als in ihrem gerade Dann und Da liegen, d. h. in ihrem Zusammentreffen mit einer menschlich bedeutsamen, aufs äußerste zugespitzten Situation. Nur die ersteren sind streng unmöglich, und dazu gehören natürlich zuerst jene erwähnten, die ein ganzes abgetanes Weltbild involvieren und in dem berichtigten einfach ihren Sinn verlieren; dann auch solche, die ein massives Aussetzen der Naturgesetze verlangen, wie Erweckung von den Toten. Die meisten biblischen Wunder sind nicht von dieser Art. Der brennende Dornbusch, die ägyptischen Plagen, Rauchen, Beben und Donnern des Berges Sinai, Einsturz der Mauern Jerichos im Alten Testament, die Krankenheilungen im Neuen, all diese sind für sich selbst physikalisch nicht unmöglich, z. T. sogar wohlbekannte Vorkommnisse – aber auch religiös nicht wirklich wichtig, sondern wie Ausrufungszeichen betonende Begleiterscheinungen des wirklich Wichtigen: Nicht das Beben des Berges, sondern was Moses in einsamer Begegnung auf seinem Gipfel vernahm, war das Wichtige. Und hier ist Gelegenheit zu der Beobachtung, daß der Jude in der Wunderfrage in einer weniger schwierigen Lage ist als der Christ. Die Naturmirakel der Bibel berühren insgesamt nicht die Substanz seines Glaubens, er kann sie annehmen oder ablehnen ohne große Folgen für die Glaubenssache einerseits oder für die moderne Naturvorstellung anderseits. Die zwei einzigen, soweit ich sehe, die er der letzteren opfern *muß* — das Stillstehen von Sonne und Mond (das dem Galilei soviel bei der Kirche zu schaffen machte) und Eliae Himmelfahrt im feurigen Wagen — sind so episodisch in der Entfaltung des geschichtlichen Gottesdramas wie die andern: auch an ihnen hängt nicht viel. Aber an den entsprechenden im Neuen Testament — Geburt, Auferstehung und Himmelfahrt Jesu (wie auch an der verheißenen Wiederkunft in den Wolken des Himmels) — hängt wegen der einzigartigen theologischen Stellung Jesu für den Christen ungemein viel, *sie* berühren durch ihre Verbindung mit der Christologie den Kern seines Glaubens. Der Nöte ihrer Problematik für den Gläubigen von heute hat der Jude nichts an die Seite zu stellen. Hier hat das Christentum einen späten Preis zu zahlen für das, was einmal und für lange ihm einen so magnetischen Vorsprung vor dem Judentum in den Gemütern gab: das *Mysterium* als zentrales Wesenselement kraft des zentralen Gedankens der Inkarnation. Es ist zum Glück nicht meine Sache, darüber zu urteilen, wie weit dies Mysterium von der objektiven Wunderbeglaubigung (z. B. der Auferstehung) lösbar ist, und ob Bultmann diese Loslösung ohne zu hohen Preis gelungen ist. Unzweifelhaft ist mir die heutige Notwendigkeit des heroischen Versuchs, dem keiner sich so unbeirrt wie er unterzogen hat. Und über die speziell christliche Problematik hinaus stimme ich theologisch und philosophisch zu, daß der Gottesglaube als solcher des sichtbaren, sozusagen spektakulären Wunders überhaupt entraten kann. Lassen wir also diesen vermeidbaren Anstoß (den Bultmann als „falschen" zum Schaden des „echten" ansieht, IV 157) beiseite.

Das wirkliche Problem betrifft das *Handeln Gottes,* auf das der religiöse Glaube schlechterdings nicht verzichten kann. Hier sah auch Bultmann *das* Problem, und es überschneidet sich zwar mit der Wunderfrage, fällt aber keineswegs mit ihr zusammen. „... alles (spitzt) sich auf die Frage zu: ist *die Rede von Gottes Handeln* notwendig mythologische Rede?" (IV 135). Bultmann behandelt sie in einem besonderen Unterteil, betitelt „Die Bedeutung Gottes als des Handelnden" in seiner grundlegenden Schrift „Jesus Christus und die Mythologie". Seine Schwierigkeit ist die: „Ich muß ... notwendig die Weltgeschehnisse als durch Ursache und Wirkung verbunden sehen, nicht nur als ein wissenschaftlicher Beobachter, sondern auch in meinem täglichen Leben. Wenn ich das tue, bleibt kein Raum für Gottes Handeln" (IV 175). Denn, wird „die göttliche Kausalität eingeführt als ein Glied in der Kette der Ereignisse, die einander nach dem Kausalgesetz folgen", dann wäre das nunmehr Geschehende das Ergebnis einer übernatürlichen Ursache, also ein Mirakel (172 f.), und das kann nicht sein. So verstanden, „eliminiert" die Entmythologisierung mit dem Gedanken des Wunders als eines den Kausalzusammenhang sprengenden Mirakels (IV 128) auch den Gedanken eines Handelns Gottes. Dennoch müssen wir von Gottes Handeln reden. Was ist die Lösung? Der Irrtum besteht nach Bultmann darin, sich Gottes Handeln so wie weltliches Handeln oder Ereignisse vorzustellen, die göttliche Macht wie eine natürliche Macht – eben der Irrtum der Mythologie, „die durch ein Zerbrechen des Zusammenhanges übernatürliche Geschehnisse in die Kette der natürlichen Geschehnisse einfügt" (175). Im weitesten Sinne ist es der Irrtum der Objektivierung und Verweltlichung überhaupt. Demgegenüber muß das Handeln Gottes als ein „unweltliches und transzendentes" gedacht werden, „das sich nicht *zwischen* weltlichem Handeln oder weltlichen Ereignissen abspielt, sondern sich *in* ihnen ereignet" (173). „*In* ihnen (d. h. den natürlichen, weltlichen Ereignissen, die für jedermann sichtbar sind) findet Gottes verborgenes Handeln statt" (173).

Dies also ist Bultmanns Lösung des Dilemmas, die es erlaubt, denselben *mir* begegnenden Vorfall einerseits „als ein Glied in der Kette des natürlichen Laufs der Dinge (zu) sehen", anderseits – nämlich im Glauben – als Geschenk oder Strafe Gottes zu verstehen; ebenso „einen Gedanken oder Entschluß (in mir) als eine göttliche Eingebung (zu) verstehen, ohne den Gedanken oder Entschluß von seiner Verbindung mit der psychologischen Begründung zu lösen" (173 f.). Nicht auf der „direkten Identität" von Gottes Handeln mit den weltlichen Ereignissen besteht der Glaube, sondern „auf der paradoxen Identität, die nur hier und jetzt gegen die anscheinende Nicht-Identität geglaubt werden kann" (173). Anders als mit Bultmanns eigenen Worten ausgedrückt, liegt so etwas vor wie ein Unterschied zwischen „von außen" sehen (objektivierend) und „von innen" verstehen.

Was ist philosophisch zu dieser Lösung zu sagen? Am ähnlichsten finde ich sie dem kantischen Standpunkt, der zwischen Phaenomenon und Noumenon unterscheidet, zwischen Erscheinung und Ding an sich: In der Erscheinung folgt alles einander nach einer notwendigen Regel, im Ding-an-sich kann das, was so erscheint, eine Kausalität der Freiheit sein. Daher kann ich zwar nicht wissen, aber glauben, daß meine Handlung, die der Erscheinung nach (und dazu gehört auch das Psychologische) durchaus determiniert ist, in Wahrheit nach Ursprung und Verlauf das Werk meiner Freiheit ist. Desgleichen läßt auch ein Weltvorgang „hinter" seiner erscheinenden, welt-immanenten Kausalität eine, zwar unerkennbare, göttliche Kausalität als *das in* ihm Erscheinende im Prinzip zu. Denn hinter aller Immanenz der Erscheinung steht die Transzendenz des Dinges an sich, die den Regeln jener nicht unterworfen ist. Was gewissermaßen „von außen" gesehen als bloße Natur erscheinen *muß*, würde „von innen" gesehen als Tat menschlicher oder auch göttlicher Freiheit dastehen *können*.

Hierzu sehe ich eine Ähnlichkeit in Bultmanns Aussagen

vom Handeln Gottes als nicht „zwischen" weltlichen Ereignissen, als eines von ihnen, sich abspielendem, sondern als „in" ihnen verborgenem Geschehen; und der Vergleich findet, was die religiöse Bedeutung der Phaenomenon-Noumenon-Unterscheidung angeht, eine Stütze in Kants berühmtem Wort, er „habe das *Wissen* aufheben (müssen), um zum *Glauben* Platz zu bekommen"[7] – wobei eben nur das Phaenomenale wißbar und das Noumenale nur glaubbar ist. Ich weiß nicht, ob Bultmann sich einer solchen Ähnlichkeit bewußt war, bin auch nicht sicher, wie weit sie wirklich reicht. Aber soweit sie reicht, teilt Bultmanns Position mit der kantischen deren Stärken und Schwächen. Zu den Schwächen gehört für Bultmanns eigenes, nämlich theologisches Anliegen (überhaupt für die Sache der Religion) der Umstand, daß die angezeigte Doppelseitigkeit der Dinge überhaupt nur grundsätzlich Gottes Wirken in allen zuläßt, dagegen sein Sich-Offenbaren in besonderen ausschließt. Die Verborgenheit der Transzendenz, d. h. ihr Nicht-Erscheinen, ist so undurchbrechbar wie der Determinismus der Erscheinungen.

Nun glaube ich aber, daß Bultmann mit Kant eine übertriebene Vorstellung von der Enge und Straffheit weltlicher Kausalität teilt. Danach ist sie so eindeutig determinativ, daß jede Einführung einer nichtphysischen Ursache in den Naturlauf dem Zerreißen einer Kette gleichkommt, also einem Fall des verpönten Mirakels. Es ist aber zu erinnern, daß das „Wunder" nichtphysischer Intervention ins Physische *ohne* Zerreißung seines Zusammenhanges, also ohne „Mirakel"-Charakter, unaufhörlich und als uns Allervertrautestes geschieht, nämlich jedesmal, wenn wir aus bewußter Wahl handeln – was nichts anderes heißt, als den äußeren Verlauf von innen her mitzubestimmen so, daß er nun anders verläuft, als er ohne unser Zutun aus unphysischer Quelle, sich allein überlassen, verlaufen wäre – was wiederum die Vorbedingung ein-

[7] Kritik der reinen Vernunft B XXX.

schließt, daß am Punkte unseres Eingreifens mehrere Möglichkeiten offenstanden, deren *jede* die Vorschrift der Naturgesetze gleich gut erfüllte. Andernfalls wäre all unser Handeln nur ein täuschender Schein. Aber niemand, auch der Naturwissenschaftler nicht, läßt sich vom Stirnrunzeln eines physikalischen Determinismus (der natürlich immer von der Natur mehr behauptet, als sich im Prinzip je beweisen läßt) davon abhalten, im Augenblick des Erwägens mit dem Offensein von mehr als einer Möglichkeit, als der Voraussetzung des Erwägens selber, wie selbstverständlich zu rechnen. Der Glaube seiner Freiheit hat praktisch immer den Vortritt vor dem Glauben einer ohnehin sich übernehmenden Theorie. Dem von jenem Stirnrunzeln und dem dahinter vermeinten Prestige der Naturwissenschaft dennoch Eingeschüchterten läßt sich zur Beruhigung seines theoretischen Gewissens sagen, daß die Naturwissenschaft das besagte Dilemma gar nicht erzeugen muß und nur eine Metaphysik der Naturwissenschaft sich dazu versteigt. Es ist Sache der Philosophie, zu *zeigen*, daß die Naturgesetzlichkeit sehr wohl neutrale Schwellensituationen zuläßt, Nullpunkte der Indifferenz sozusagen, von denen aus, wie von einer Wasserscheide, der Verlauf jeweils mehrere Richtungen einschlagen könnte, ja unbestimmt viele, die alle den Konstanzgesetzen gleich konform, wenn auch nach Wahrscheinlichkeit sehr verschieden sind. Die blinde Natur wird fast immer die wahrscheinlichste aussuchen, aber der Mensch kann die unwahrscheinlichste Ereignis werden lassen. Das heißt, die Philosophie muß ein Modell der Natur konstruieren, wonach kausal äquivalente Alternativen in ihr möglich sind, so daß menschliches Handeln, sich ihrer bedienend, im Einklang mit den Naturgesetzen möglich ist. Die Grunderfahrung des Handelns fordert dies von der Theorie. Ich füge hinzu, daß ein solches Modell sich unter Wahrung alles dessen, was wir von der Natur wissen, konstruieren läßt.

Der Theologe aber, um zu ihm zurückzukehren, muß sich

sagen, daß was dem menschlichen Handeln zugestanden ist, doch dem göttlichen nicht abgesprochen werden kann. Wenn *wir* das „Wunder" täglich vollbringen können (und in gewissem Sinne ist es ja ein Wunder), mit der Wahl unserer Seelen, unserm Wünschen und Wollen, unsern Einsichten und Irrtümern, unsern guten oder bösen Zielen – lauter nichtphysischen Faktoren – in den Lauf der Welt ändernd einzugreifen, dann sollte auch Gott diese Art Wunder innerhalb der intakt bleibenden Naturordnung, also ohne „Mirakel"-Charakter, möglich sein – wenn er sich solches Eingreifen auch wohl für seltene Anlässe und Zwecke vorbehalten mag. Bultmann selbst gibt sich den Fingerzeig zu dieser Analogie, ohne ihm zu folgen, wenn er sagt: „Ich verneine den weltlichen Zusammenhang der Geschehnisse, wenn ich von mir selbst rede; denn in diesem Zusammenhang von Weltgeschehnissen ist mein Ich, meine eigene Existenz, ... nicht sichtbarer oder beweisbarer als der handelnde Gott" (IV 175). Gewiß nicht! Auch bei uns ist der Ursprung im Ich unsichtbar. Aber was dies Unsichtbare im Sichtbaren wirkt, welches ohne diese meine Dazwischenkunft durch Wort und Tat anders verlaufen würde, das ist im Sichtbaren eine so objektive Tatsache wie nur irgend eine, wenn auch ihr alternatives Nichtsein-Können und ihre Herkunft aus der Freiheit des Geistes auf ewig unbeweisbar bleiben. Denn das Geschehende kennen wir immer erst, wenn es geschieht. Doch unbekümmert um Beweisbarkeit zweifelt *unter Menschen* weder der Täter noch der sein Tun Erfahrende oder es Verzeichnende an dieser Herkunft und diesem Auch-andersein-Können. Es stünde anders, wenn sich solches Tun unfehlbar vorhersagen ließ. Aber es ist eben das Wesen des Handelns, daß es Unerwartetes, Unvorwegnehmbares in die Welt bringt, und die Behauptung, es habe von Anfang an so kommen müssen, hinkt immer hinter der Überraschung, daß es so kam, hinterher.

Die menschliche Seite der hier angerufenen Analogie erstreckt sich vom Kleinen ins Große, von unserm täglichen Tun, dessen Wirkung auf die Welt meist recht bescheiden ist, zum außerordentlichen Tun, das der *Geschichte* eine andere Richtung gibt. Ich weiß natürlich, daß es die Lehre des Geschichtsdeterminismus gibt, aber wer da sagt, mit welcher erlesenen Theorie auch immer, daß hier im Großen die vorentschiedene und im Prinzip vorherwißbare Notwendigkeit herrscht, die im Kleinen vielleicht gelockert ist, der zeigt nur, daß er nicht weiß, was Geschichte ist und wie es in ihr zugeht. Hier vor allem kommt die eitle Klugheit hinterher, die sehr verschieden ist vom *Verstehen* dessen, was in der Geschichte geschah.

Ich darf eine persönliche Erinnerung berichten. Als ich in der Geburtskapelle zu Bethlehem stand, überwältigte mich plötzlich der Gedanke, daß zur Zeit jener Geburt (ob sie hier oder anderswo stattfand) kein Wissen und keine Phantasie, auch nicht die durchdringendste Kenntnis historischer Mechanismen, zu der wir es je bringen können, vorausahnen konnte, was über Jahrtausende daraus folgen würde – sowenig wie die Geburt *dieses* Individuums selbst vorherzusagen war. Vom säkularen Standpunkt, außerhalb der christlichen Deutung, war das Geborenwerden jener Person, und daß ihr Leben nicht durch Kinderkrankheit oder Kindermord vorzeitig abgeschnitten wurde, und was sonst alles positiv und negativ beim rein tatsächlichen Sine-qua-non mitspielte, der ungeheuerlichste Zufall, der dann die weitere Weltgeschichte entschied. Gewiß, war die Gestalt erst einmal da in der Fülle ihrer Erscheinung, dann kann wohl rückblickend im Verein mit den Zeitbedingungen, der Verfassung der damaligen Menschheit, die geschichtliche Wirkung einigermaßen „erklärt" und verständlich gemacht werden (auch umgekehrt die Einwirkung der Zeit auf die Person) und damit dem weiteren Verlauf so etwas wie „Notwendigkeit" mitgeteilt werden. Aber eben das Zusammentreffen der Person mit den Bedingungen war der Zufall der Zufälle, und wäre er ausgeblieben, so wäre die Weltgeschichte eben anders verlaufen – wir wissen nicht wie, wissen aber dies, daß sie auch dann die gleiche relative Notwendigkeit besessen haben würde: Die Gesetze der Geschichte, was immer sie seien, wären beidemal, wenn auch höchst verschieden, erfüllt worden. So aber hat das Denken, Reden und erscheinende Leben dieses Einen, physisch fast eine Nullität im enormen Massenfeld der Menschheit, dem ganzen weiteren Ablauf auch nach rein profangeschichtlicher Betrachtung eine Richtung gegeben, die es ohne ihn nicht genommen hätte, und die erst nach ihm wieder in gewissem Grade der Zufälligkeit entwächst. Das Gesetz besteht nur darin, daß, wenn ein Stein ins Wasser fällt, von da sich Wellenkreise ausbreiten. Ob, wann und wo einer fallen wird, darüber weiß das Gesetz nichts.

Um aber dem heiligen Beispiel auch das ruchlose zur Seite zu stellen: Wer wollte zweifeln, daß ohne Hitler die Weltgeschichte unserer Zeit anders verlaufen wäre, die Weltkarte heute ganz anders aussehen würde: Kein geteiltes Deutschland, kein Stehen der russischen Macht im Herzen Europas, usw.?; daß es ohne ihn keine „Endlösung der Judenfrage" gegeben hätte, nicht die Ermordung der sechs Millionen, vielleicht daher nicht den Staat Israel und die nun weltpolitische Krise des Nahen Ostens? Wer aber wollte anderseits behaupten, daß ein rechtzeitiger Autounfall oder geglücktes Attentat oder tödliche Krankheit den Gesetzen der Geschichte oder der Kausalität widersprochen hätte und der dann so ganz anders ausgefallene historische Prozeß weniger natürlich, notwendig und erklärbar gewesen wäre, als das, was tatsächlich geschah? So aber kam es, zwar nicht wie es kommen mußte, aber wie wieder einmal ein Geist, handelnd durchs Wort, diesmal zum Unheil, die Welt bewegte.

Beides sind Beispiele für ein „Eingreifen" in den großen Gang der Dinge, das die Weltkausalität offenbar gestattet.

Das zweite Beispiel zeigt uns aber auch den wahren Grund, jedenfalls den *theologisch* motivierten, warum wir unwillens sind, göttlicher Allmacht ein konstantes Weltregiment zuzuschreiben: Nicht aus Verbeugung vor den Natur- und Geschichtsgesetzen, auch nicht aus dem marcionitischen Motiv, daß die Befassung mit jedem Spatzen, der vom Dache fällt, Gottes unwürdig wäre – sondern weil im Welt- und Geschichtslauf zu Gräßliches geschieht, als daß wir es seiner Absicht zutrauen und ihn dafür verantwortlich machen könnten. Anders als zuvor bei den Wundern ist hier der Jude in schwierigerer Lage als der Christ. Denn für den Christen ist ohnehin die Welt weitgehend des Teufels und immer ein Gegenstand des Mißtrauens (die Menschenwelt besonders, wegen der Erbsünde); aber für den Juden ist Gott eminent der Herr der Geschichte; und wie nach Auschwitz der gläubige Jude sich das Walten Gottes erklären oder den überlieferten Gottesbegriff neu überdenken soll, das ist sein quälendes heutiges Problem.

Jedenfalls aber, ob aus diesem Grunde, oder ob aus dem Bultmannschen der intellektuellen Redlichkeit in Anerkennung des modernen Denkens, der Gläubige muß sich so etwas wie eine Abstinenz Gottes gegenüber der Welt vorstellen: so als habe er mit der Erschaffung der Welt und dann noch einmal mit der des Menschen im besondern Hinblick auf dessen Freiheit auf die Ausübung seiner Allmacht weithin verzichtet und die Schöpfung im Ganzen sein lassen wollen, was sie selber aus sich machen würde. Ich stimme also mit Bultmann in dem Resultat überein, daß die Eigengesetzlichkeit der Immanenz, für Gläubige wie Ungläubige, in ihrer Integrität gewahrt bleibt (weswegen allein es ja auch Atheismus geben kann). Ihre Anerkennung durch unser Denken würde also, nach dieser theologischen Ansicht, derjenigen seitens Gottes entsprechen. Daß an sich diese Integrität ein hin und wieder Eingreifen des transzendenten Gottes ohne Wunderspektakel durchaus zuließe, wie sie ja das der innerweltlichen menschlichen Freiheit andauernd zuläßt, wurde schon gesagt. Aber schon im „sichtbaren“ Falle des Menschen, wo man wenigstens den leiblichen Ursprung der Handlung *sieht*, ist das echte Eingreifen bekanntlich vom Determinismus her bestreitbar, und im unsichtbaren Falle Gottes wäre es schlechthin unerkennbar (nicht nur wie dort unbeweisbar). Und so sollte man von dieser abstrakten Möglichkeit lieber gar nicht reden, schon um den Glauben nicht zu der (von Spinoza gegeißelten) Rolle des „asylum ignorantiae“ zu verführen. In diesem, von Bultmanns etwas abweichendem Sinne können wir mit ihm dahin übereinstimmen, daß „Aussagen über Gottes Handeln als kosmisches Geschehen illegitim sind“ (IV 178) und man sich allgemein an die natürliche Erklärung halten soll.

Aber *eine* Ausnahme mindestens muß die Religion zulassen, die für sie lebenswichtig ist und bei der es sich nicht mehr um die allgemeine abstrakte Möglichkeit handelt, sondern um eine höchst bestimmte Weise des göttlichen Eingreifens in die hiesigen Dinge: die *Offenbarung*. Hier kann – und, so scheint mir, *muß* – der Gläubige über Bultmanns asketische Enthaltsamkeit, deren allgemeiner Maxime ich soeben beigepflichtet habe, hinausgehen. Daß er kann, wurde generell gezeigt; daß er muß, soll jetzt noch gezeigt werden.

Wenn ich Bultmann recht verstehe, so fällt für ihn auch die Offenbarung unter die Unterscheidung von „zwischen“ den weltlichen Ereignissen sich abspielendem Handeln Gottes, das verneint wird, und „in“ ihnen verborgen sich ereignendem, das bejaht wird, aber sowenig wie irgend etwas anderes ein „direktes Eingreifen transzendenter Mächte“ darstellt, vielmehr nur *mir* begegnend jeweils von *mir*, im paradoxen „dennoch“ des Glaubens, *auch* als Handeln Gottes verstanden werden *kann*, obwohl an sich völlig verstehbar im natürlich-psychologischen Ablauf der Dinge. Nur das, sagt Bultmann, ist rechter Wunderglaube. Also auch das Wort Gottes, auch die

Offenbarung ist prinzipiell verborgen. An mir, und an mir allein, ist es, das Wort Gottes aus Menschenworten *herauszuhören,* die Offenbarung des Übernatürlichen im Natürlichen zu *entdecken,* und als „göttliche Eingebung" das zu verstehen, was in mir, ja auch in andern, an psychologisch wohlbegründeten Gedanken auftrat. Denn auch das Innenleben – darauf baut der moderne Mensch – ist „nirgends vom Einwirken übernatürlicher Kräfte durchbrochen" (IV 144); und auch die Geschichte nicht: da ist kein „Ausgrenzen einzelner benennbarer Bereiche" als heiliger Geschichte erlaubt – die *ganze* Natur und Geschichte ist profan (188 f.), und das Seelenleben fällt darunter, selbst das der Propheten. So bleibt denn nur „die paradoxe Identität des innerweltlichen Geschehens mit dem Handeln des jenseitigen Gottes" (IV 136), die nur jeweils *ich* in der existentiellen Begegnung erfahren und mit *meinem* Glauben sogar für die vergangenen Sprecher des Wortes – selber durchaus innerweltlich bedingt wie jeder – gewissermaßen über deren Köpfe hinweg beglaubigen kann. Die Offenbarung also geschieht primär an mir und letztlich bin ich ihr Subjekt, für das nicht abzusehen ist, *was* irgendwann ihm Offenbarung werden kann. Eine „direkte Identität" des weltlich Erfahrbaren mit göttlicher Urheberschaft ist ausgeschlossen.

So sieht es einerseits aus. Aber anderseits spricht Bultmann – wie es der Bekenner einer auf *eine* Offenbarung gegründeten Religion gar nicht anders kann – doch auch davon, daß in der Bibel „*bevollmächtigte* Worte" vorliegen (IV 168), daß bestimmte Worte, gesprochen in bestimmter Zeit, *einmalige Autorität* besitzen. Und von denen, die nach der Bibel Gottes Herolde waren, Propheten, Jesus, Aposteln, sagt er: „Was sie verkünden, sind nicht ihre eigenen Gedanken . . ., sondern der Ruf Gottes, den sie verkünden müssen, ob sie wollen oder nicht" und zitiert Amos „Der Löwe brüllt, wer fürchtet sich nicht? Jahwe redet, wer wird nicht Prophet?" (III 123). Wovon ist denn da die Rede, wenn nicht von einem *Einbruch* der

Transzendenz in die Immanenz? Die solches erlebten und aussprachen, waren nicht Entdecker eines verborgenen Gottes, sondern Hörer eines sich kundtuenden und *durch sie* sich aller Welt kundtun *wollenden*. Die Initiative ist seine (wenn wir es nicht besser wissen wollen als sie) und das setzt voraus: *Wille* seitens des sich Offenbarenden (damit auch einen zeitlichen Aspekt in ihm selbst!) und *Macht*, sich zu offenbaren, d. h. in die Welt *hinein* zu handeln, und zwar auf dem Weg über die menschliche Seele. Ich wiederhole: „in die" Welt und partikular, nicht einfach „in der" Welt und als ihre jederzeitige transzendente Deutbarkeit – also in diesem Falle doch ein objektives „zwischen". Mit der Einräumung dieser Ausnahme von der immanenten Regel steht und fällt die Offenbarungsreligion.

Es ist klar, daß diese Vorstellung vom Handeln Gottes die kantische Scheidelinie kreuzt, da sie dies Handeln nicht in die parallele Transzendenz des „Dinges an sich" bannt, sondern *in die Erscheinung selbst* hineinreichen läßt, und zwar in die öffentliche Erfahrbarkeit, nicht nur die private: und darauf, meine ich, kommt es an, sowohl für das menschliche Handeln wie für die Religion. Das Handeln kann sich nicht zufriedengeben mit dem Bewußtsein einer intelligiblen Freiheit, sondern muß seine Wirkung in der Erscheinungswelt, den Unterschied, den es darin ausmacht, sichtbar auch für andere, sehen und wirklich sich zuschreiben können; und die Religion kann sich nicht begnügen mit der Innerlichkeit des „Wortes" in der Existenz, sondern muß sein ursprünglich öffentliches Erscheinen in der Welt als Selbstoffenbarung des Willens Gottes durch Menschenwort vor Augen haben und *seiner* Kausalität zuschreiben. Nur darauf kann sie ihre eigene welthaft-öffentliche Existenz, als Gottesvolk oder Kirche, gründen. Wenigstens gilt dies für jede Religion des Gehorsams, die ja vom *Willen* Gottes Kunde haben muß.

Fassen wir zusammen. Die hier vorgetragene Position

macht ihre Aussage nach zwei Seiten, der Religion und der Philosophie. Nach der Seite der Religion, deren Sache ich als Philosoph nur hypothetisch führe, sagt sie, daß für gewisse Ereignisse eine Ausnahme von der Immanenzregel aller Ereignisse zu machen ist; und nach der Seite der Philosophie (für die ich kategorisch spreche), daß diese Art Ausnahme keinem Wissen von der Welt zuwiderläuft, allerdings auch von keinem bestätigt werden kann. Ihre Einräumung hat nichts von Mythologie an sich – weder die ihrer Möglichkeit durch die Philosophie, noch die ihrer Wirklichkeit durch die Religion. Keine Entmythologisierung muß *sie* daher treffen. Kein Artikel des rechten wissenschaftlichen Glaubens, zum Unterschied vom Wissenschaftsaberglauben, wird dadurch verletzt.

De facto hat der tiefgläubige Bultmann selber die Ausnahme ja auch gemacht, indem er sein ganzes Leben auf das Neue Testament als *die* Offenbarung stellte, aber theoretisch hat er sie nicht unterzubringen gewußt, da er dem „wissenschaftlichen Weltbild" mehr Zugeständnisse machen zu müssen glaubte, als die Sache verlangte. Hier ist es, wo ich seiner Bedrängnis mit den Mitteln der Philosophie zu Hilfe kommen möchte. Da ist denn die schlichte Tatsache die: Wie es eine Überschätzung des Naturdeterminismus ist, die die Möglichkeit kausaler Freiheit unserseits verneinen zu müssen glaubt (was Bultmann *nicht* tut), ebenso ist es eine Überschätzung der – übrigens fast unbekannten und hauptsächlich postulierten – Seelengesetzlichkeit, die eine transzendente Kausierung direkter Art im Innenleben als damit unvereinbar ansehen zu müssen meint – wie Bultmann tut, obwohl auch er und gerade er meint, daß das Wort Gottes durch Worte der Menschen zu uns kommt. Aber er meint es in einem paradoxen Sinne, im Sinne des glaubenden „dennoch", während doch nur eine direkte Inspiration einmalig Erwählter dem Gesagten die Autorität geben kann, deren der Offenbarungsglaube bedarf. Das „dennoch“ mag sich dann immer noch auf den *Inhalt* des Gesagten beziehen, der paradox sein kann, wie z. B. die Botschaft vom Kreuz, aber es gilt nicht mehr der *Tatsache* „jenseitiger“ Initiative in irdischen Geistern an sich, die der Glaubende vielmehr ohne Paradox und ohne Konflikt mit seinem übrigen Denken allgemein bejahen und in einem bestimmten Fall als geschehen annehmen *kann*. Bestehen bleibt natürlich, daß dies Annehmen selber eine pure Entscheidung des Glaubens ist. Natürlich kann ich wählen, ungläubig zu sein und die Sache mit Moses oder Amos oder Jesus ganz natürlich anzusehen, und werde weiter keine Schwierigkeit damit haben, ja sogar den weitaus leichteren Stand. (Denn die gleichförmige Ansicht der Dinge, wie unvollständig immer ihre Verifizierung bleibe, ist theoretisch befriedigender als die ungleichförmige, um so mehr wenn eine Komponente der letzteren gänzlich und grundsätzlich unverifizierbar ist.) Die Gefahr des Irrtums aber ist beiden Entscheidungen gemein, für die gläubige allerdings aus vielen Gründen weit größer als für die ungläubige, der außerdem die Schwierigkeit erspart bleibt, welche der – immer partikulären – Glaubensentscheidung aus dem Widerstreit vielfacher Offenbarungsansprüche in der weiten Menschenwelt erwächst. (Letzteres halte ich in der Tat, bei einigem Respekt vor der Integrität menschlicher Ahnung und Hingabe, für eine viel größere Schwierigkeit im Glaubensstandpunkt als den Konflikt mit der wissenschaftlichen Denkweise: es ist die Schwierigkeit der Arroganz im Begriff der „wahren“ Religion – der eigenen – im Unterschied von allen anderen.)

Ich komme zum Schluß. Es mag paradox erscheinen, daß der Philosoph der Möglichkeit des Glaubens mehr zugestanden hat als der vom Ansehen der Wissenschaft überwältigte Theologe. Es ist weniger merkwürdig, wenn man bedenkt, daß der Philosoph von Berufs wegen um die Grenzen des Wissens weiß, weil er immer daran stößt, und daher vielleicht immuner ist gegen den Druck dessen, was vom mächtigen Ansehen der Wissenschaft mitgetragen wird, aber doch selber ein Glaube ist. Im Eigentlichen leichter wird es für den Glauben damit nicht. Um mit Bultmann zu reden: nur ein „falscher Anstoß“ ist beseitigt, der „echte“ besteht unvermindert. Soweit mein Argument in Rede steht, kann selbst der anspruchsvollste Kierkegaardianer versichert sein, daß auch mit Hinwegräumung des Scheinhindernisses die Sache des Glaubens schwer genug bleibt. Dieser Sache selber habe ich nicht das Wort geredet. Philosophierend habe ich von Möglichkeiten gesprochen, nicht von Wirklichkeiten. Die liegen, was unser Thema betrifft, unter dem Schleier des Nichtwissens. Durch Bultmanns Werk bin ich auf solche probierenden Gedanken im Felde des Nichtwissens gekommen. Es ist ein Zwiegespräch mit ihm, von Philosoph zu Theologe, von Jude zu Christ, vor allem aber: von Freund zu Freund. Mehr als einmal sah ich ihn im Geiste skeptisch die Augenbrauen hochziehen, den Kopf bedenklich schütteln, und fast höre ich ihn jetzt sagen: Aber lieber Freund, spekulieren Sie da nicht? Reden Sie nicht objektivierend über Gott, von außen sozusagen, wenn Sie erwägen, daß er durch den Menschen – mindestens durch ihn – die Welt bewege in bestimmten, benennbaren Akten, derart sich einmischend in die Schöpfung, welcher gegenüber er sich sonst Enthaltung auferlegt habe? Ja, würde ich antworten, so sei es, und würde zu erklären versuchen, daß man irgendwo auch hier, um des Denkens wie um des Glaubens willen, objektiv werden muß ...

Für mein Leben gern würde ich dies vor so langer, langer Zeit begonnene Gespräch mit dem Lebenden fortführen und kann es nur mit dem teuren Schatten tun. Ein Mann von ergreifender Reinheit ist dahingegangen, ein vollendetes Leben, immer einig mit sich selbst. Er ist nicht zu beklagen, aber wieder einmal ist die Welt ärmer geworden um einen derer, an denen sie den immer bedrohten Glauben aufrichten kann, es sei „der Mühe wert, ein Mensch zu sein“.